국내외 원격의료 산업분석보고서 2023개정판

저자 비피기술거래 비피제이기술거래

㈜ 비티타임즈

<제목 차례>

1 서론

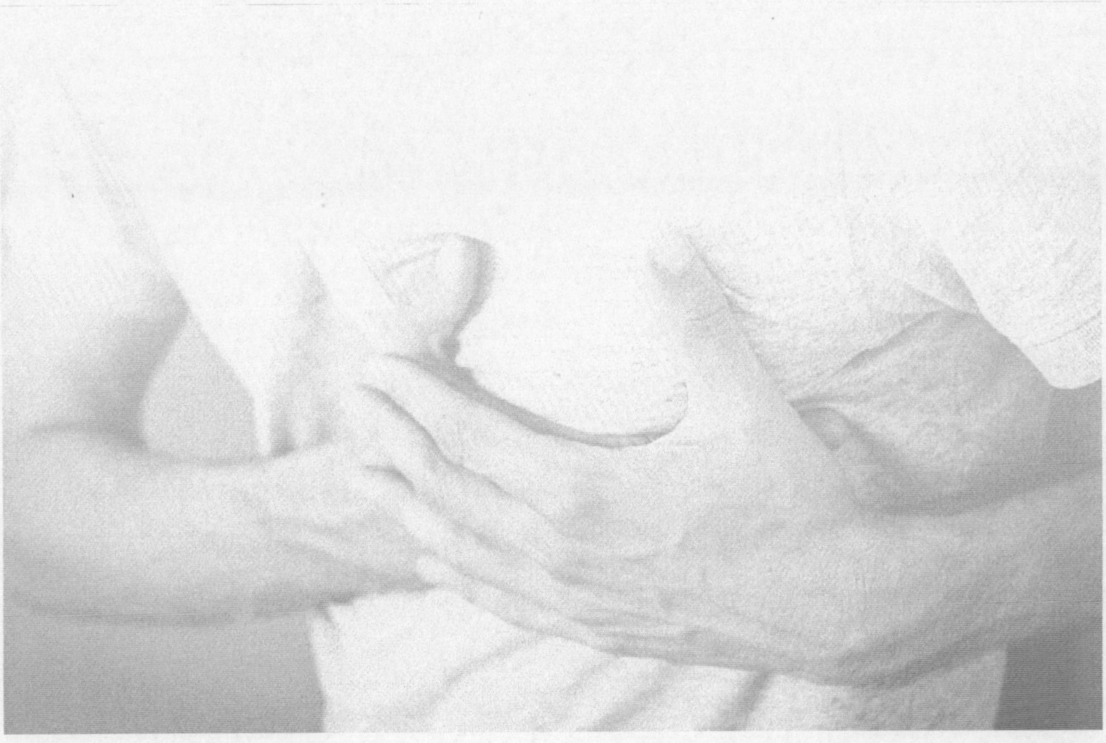

1. 서론

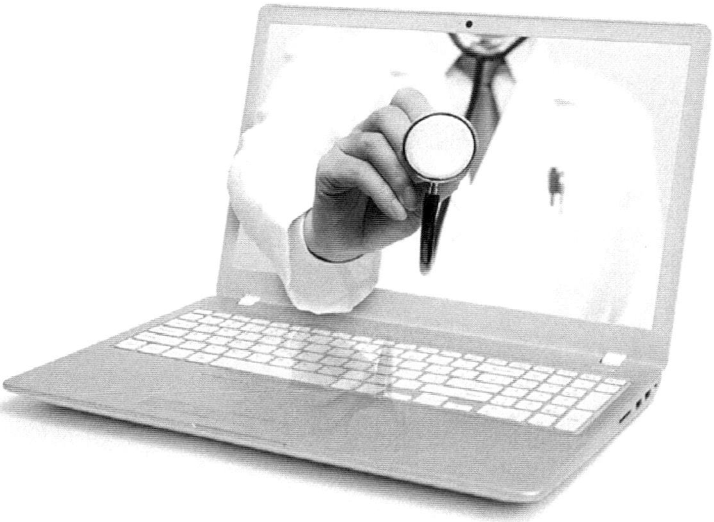

1)

[그림 2] 원격진료

4차 산업혁명이 이루어지고 있다고 하는 지금에도 여전히 의료 취약지역은 존재하고 있으며 병원을 가기 위해 몇 시간을 소비해야 하는 지역이 여전히 존재한다. 이러한 의료 취약 지역과 취약계층에게 의료서비스를 제공하기 위해서는 바로 "원격의료", "원격진료"가 필요하다. 특히 최근 코로나 19로 인해 원격의료의 필요성이 대두되며, 일본의 경우 원격진료를 전면적으로 허용했다.

하지만, 국내에서는 현행법상 의료진과 환자 간의 원격진료가 금지되었기 때문에, 원격의료의 실현을 위해서는 먼저 원격의료를 위한 법, 제도 등을 마련해야 할 것이다. 또한, 다양한 실증사업을 통해 법, 제도 마련 이전에 원격의료의 안정성에 대한 검증도 이루어져야 할 것이다.

그렇다면 국내의 원격의료는 실현하기 어려운 문제일까? 현재 전 세계 원격의료 시장은 연평균 성장률이 16% 이상으로 빠르게 성장하고 있으므로, 이러한 흐름에 발맞춰 국내에서도 원격의료가 시행될 날이 얼마 남지 않았을 것으로 전망된다. 그렇다면 우리는 원격의료를 위해 어떠한 것을 준비해야 할까?

본 보고서에서는 비대면 의료와 원격의료의 정의, 원격의료의 쟁점과 원격의료의 발전 방향을 통해 원격의료에 대한 개념을 살펴보고, 해외 원격진료 현황, 시장 동향, 기술 동향을 통해 원격의료 시장의 현재에 대해 알아본다. 또한, 관련 제도 현황과 기업 동향을 마지막으로 살펴보며 원격의료 시장 분석을 마무리한다..

---

1) 보안뉴스

2 원격의료

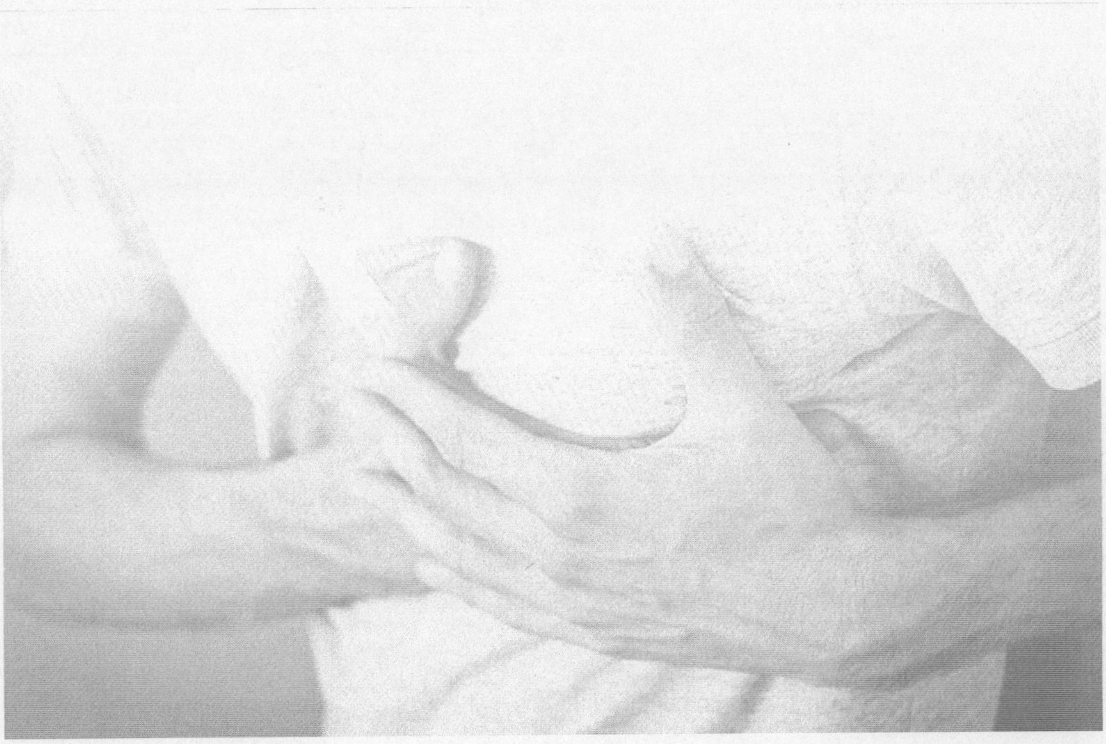

2. 원격의료

가. 비대면 의료[2)]

비대면 의료는 환자가 의료인과 직접 대면하지 않고 의료서비스를 받을 수 있는 모든 의료 형태를 포함하는 개념으로, 관련 기술과 규제 및 제도적 이슈에 따라 두 가지 유형으로 분류할 수 있다.

분류	소분류	정의
디지털 치료제 (Digital Therapeutics)	기존 치료제 대체	질병 또는 장애를 예방, 관리 및 치료하기 위해 환자에게 직접 적용되는 근거기반의 소프트웨어 제품
	기존 치료제 보완	
원격의료 (Telemedicine)	원격진료	의사가 ICT 기술을 활용하여 환자에게 제공하는 원격진단과 원격치료 중심의 의료서비스
	원격수술	
	원격모니터링	

[표 1] 비대면 의료의 분류와 정의

헬스케어 생태계 내에서 비대면 의료에 해당하는 디지털 치료제와 원격의료의 범위는 아래 그림과 같다. 이때 '의료'의 범위는 「의료법」 제2조에 정의된 '의료인' 중 의사, 치과의사, 한의사가 행하는 진단, 처방 및 치료 등 전문적인 서비스 영역으로 본다. 참고로, 의약품 판매는 '의료'의 범주에 속하지는 않지만, 비대면 의료시스템의 실효성을 위해서는 '온라인 약국'에 대한 논의도 필요하다.

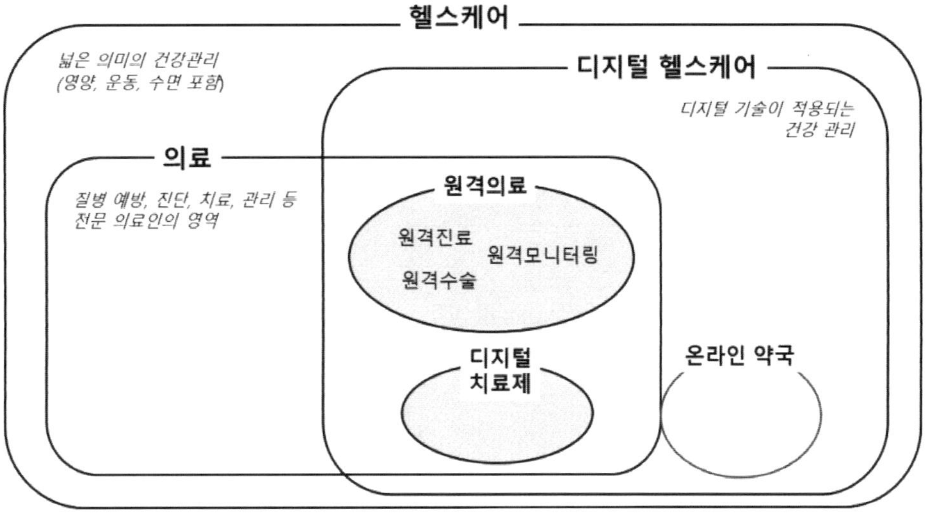

[그림 4] 헬스케어 생태계 내 비대면 의료

2) 비대면 시대, 비대면 의료 국내외 현황과 발전 방향, KISTEP Issue Paper, 2020

나. 원격의료 정의[3)]

원격의료(telemedicine)에 대한 개념은 국가, 학자, 기관에 따라 다르게 사용되고 있다. 국가별로 Telemedicine, Telehealth, Telehealthcare, U-health, Video Consultation 등 다양한 용어들이 원격의료의 개념으로 사용되고 있고, 국내에서도 원격의료, 원격진료, 원격 모니터링, 모바일 헬스케어, 비대면 진료, 스마트 헬스케어 등 다양한 용어들이 혼재되어 사용되고 있다.

세계보건기구(World Health Organization, WHO)는 원격의료를 “원거리에서 전송되는 데이터, 문서 등 정보에 기반을 둔 개입, 진단 및 처방을 결정하고 권고하는 의료 행위”라고 정의하고 있고, 세계의사회(World Medical Association, WMA)는 ‘원격의료 시행에 대한 책임, 의무 및 윤리적 지침에 관한 세계의사회 성명서’에서 “원거리로부터 원격통신체계를 통하여 전달된 임상자료·기록 기타 정보를 토대로 질병에 대한 개입, 진단 및 치료를 결정하고 권고하는 의료 행위”라고 정의하였다.

미국 정부는 원격의료를 “원격지 의료인이 현지 환자를 대상으로 상호 정보통신시스템을 통해 의학적 정보를 전달 및 의료서비스의 제공”이라고 정의하였고, 일본 정부는 1997년 원격진료총괄반 보고서에서 “영상이 포함되어 전송되는 환자정보에 기초를 두어 원격지에서 진단·지시 등의 의료행위 및 의료에 관련한 행위를 하는 것”이라고 정의하였다. 호주 정부는 “의료전문가 및 상담의사가 영상통신을 이용하여 원격진료를 제공하는 것”이라고 정의하였고, 중국정부는 원격의료를 “의료기관(초청당사자)이 다른 의료기관(초청당사자)을 초청하여 통신, 컴퓨터 및 네트워크 기술(정보기술)을 이용하여 의료기관의 진료환자를 위한 기술지원을 제공하는 의료 활동”이라고 정의하였다.

국내에서는 원격의료에 대해서 법적 정의와 정책적 정의를 내리고 있다. 원격의료에 대한 법적 정의는 의료법 제34조 제1항에 규정되어 있다. 의료법에 따르면 원격의료는 “컴퓨터·화상통신 등 정보통신기술을 활용하여 원격지의 의료인에 대하여 의료지식 또는 기술을 지원하는 것”으로 정의되어 있다. 이는 의료인 간 원격의료를 말하는 것이다. 2013년 의사-환자 간 원격의료 허용에 대한 의료법 개정을 정부에서 추진하려고 하였을 때 정부는 원격의료를 “의사 등 의료인이 IT를 이용하여 멀리 떨어져 있는 환자의 질병 관리, 진단, 처방 등 의료서비스를 제공하는 것”으로 정의하였다.

코로나19가 발생한 이후 정부는 2020년 2월에 원격의료라는 용어를 사용하지 않고 대면진료에 대응하는 개념으로 비대면진료라는 용어를 사용하였는데 이는 코로나19 이후 현재 감염병 유행상황에서 한시적으로 허용된 전화 상담·처방을 말한다. 비대면진료는 코로나19 상황에서 “유선·무선·화상통신, 컴퓨터 등 정보통신기술을 활용하여 의료기관 외부에 있는 환자에게 건강 또는 질병의 지속적 관찰, 진단, 상담 및 처방”하는 것을 말한다.

---

3) 원격의료 정책 현황과 대응방안 연구, 의료정책연구소, 2022.04

국내외 원격의료에 대한 정의를 정리하면 원격의료는 크게 3가지 특징 ① 원거리(tele), ② 정보통신기술 사용, ③ 의료정보 및 의료서비스 제공으로 정리된다.

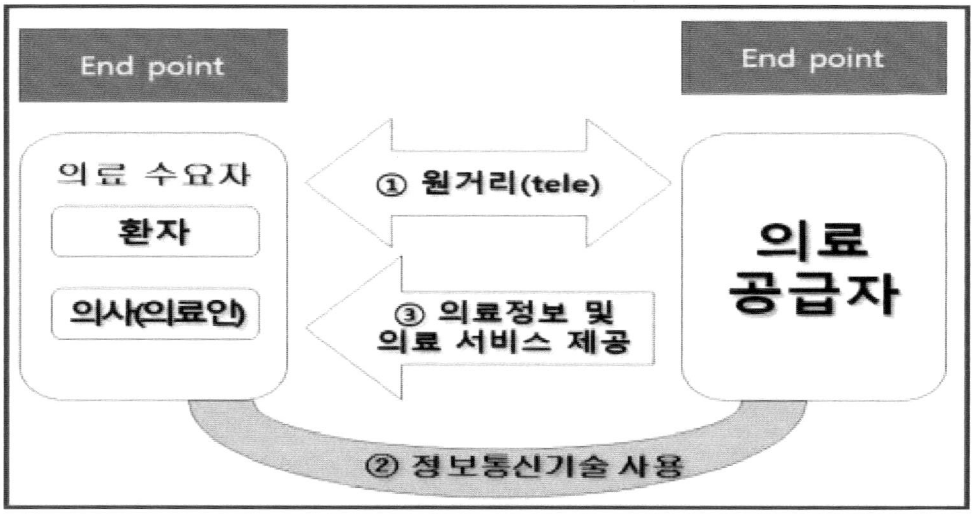

[그림 5] 원격의료 개념적 특징

원격진료는 원격의료보다 더 좁은 범위의 개념으로 의사가 원격으로 환자를 진료하는 행위를 의미하는데, 원격의료에 대한 개념상의 정의가 명확하게 이루어져 있지 않기에 우리나라 정부도 원격의료와 원격진료라는 단어를 혼재하여 사용하고 있다. 원격의료 논의에서 가장 중요한 것은 개념에 관한 정의로 관련 용어에는 원격진료와 원격의료가 있다. 4)

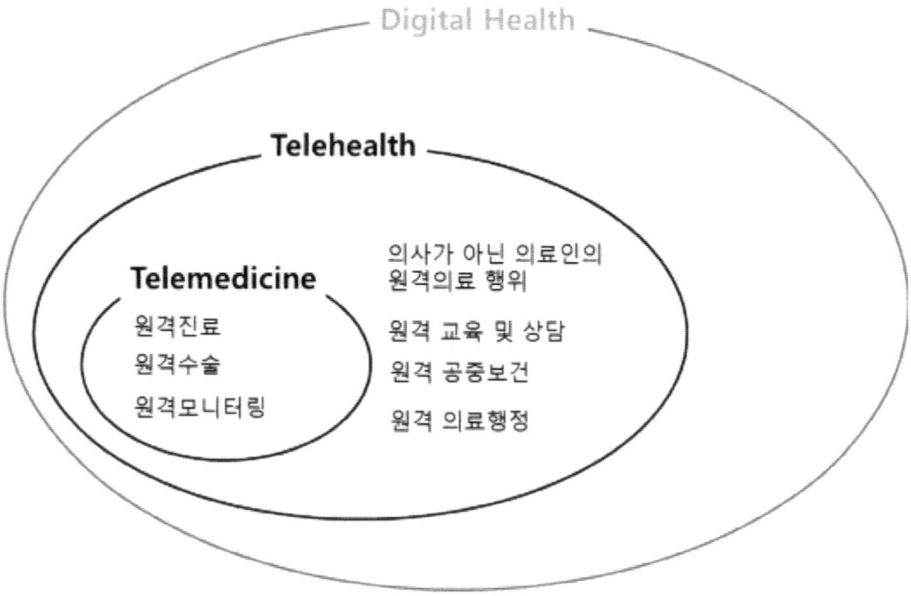

[그림 6] 원격의료 관련 용어와 개념

4) 비대면 시대, 비대면 의료 국내외 현황과 발전 방향, KISTEP Issue Paper, 2020

다. 원격의료 유형

원격의료는 원격진료보다 넓은 의미의 개념으로 의사뿐만 아니라 간호사, 약사 등 모든 의료 관련 종사자가 원격으로 행하는 관련 서비스(의료행위, 교육 및 상담, 공중보건, 의료행정 등)를 포함한다.

원격의료의 유형은 크게 서비스 방식에 따라 '동기화(실시간)'와 '비동기화', 그리고 의료행위에 따라 '원격진료', '원격수술', '원격모니터링'으로 나눌 수 있다.

분류	특징
동기화(실시간) **Synchronous**	실시간, 쌍방향으로 이루어지는 원격의료 (예: 의사-환자 간 화상을 통한 실시간 원격진료, 의사-의사 간 실시간 원격협진)
비동기화 **Asynchronous** **(Store and Forward)**	저장된 의료정보 전송을 통한 원격의료 (예: 의사-의사 간 원격협진을 위해 진료기록 전송, 피부질환 진단을 위해 환자가 질환 부위 사진을 의사에게 전송)

[표 2] 서비스 방식에 따른 원격의료 유형

분류	특징
원격진료	화상, 전화, 채팅, 이메일, 문자 등을 통해 이루어지는 진찰, 상담, 처방 (의사-환자, 의사-의사 협진)
원격수술	로봇을 활용한 수술, 의사-원격의사 간 협진을 통한 수술
원격모니터링	맥박, 심호흡, 혈압, 혈당, 심전도(ECG) 등의 환자 데이터를 원격으로 모니터링

[표 3] 의료행위에 따른 원격의료 유형

라. 원격의료 활용분야

의료 분야 중 영상의학과(radiology)의 원격의료 활용이 가장 활발하며, 피부과, 심장내과 등 분야에 따라 다양한 형태의 원격의료 적용이 가능하다.

분야	특징	활용 가능성
영상의학과 (Radiology)	이미지와 비디오 중심 의료데이터로, 이미 디지털화된 자료와 PACS 시스템을 바탕으로 원격진료 가능	매우 높음
피부과 (Dermatology)	이미지를 바탕으로 한 원격진료 가능	매우 높음
심장내과 (Cardiology)	원격심전도(tele-ECG), 원격청진기 등을 통해 원격진료 가능하며, 급성심근경색에 빠르게 대처할 수 있는 효과가 있음	높음
안과 (Ophthalmology)	각막현미경, 검안경(ophthalmoscope), fundoscope를 통해 얻어야 하는 진료용 이미지를 휴대폰에 특수장치를 부착하여 원격으로 진료 할 수 있음	높음
정신과 (Psychiatry)	화상 진료와 상담 치료를 통한 원격의료 가능	높음
병리학 (Pathology)	특수 현미경을 통해 원격으로 샘플 슬라이드 조작 가능	보통
중환자실 (Intensive Care)	Tele-ICU를 통해 중증환자 전문의(Intensive Care Specialist)가 부족한 병원에서 중증환자 전문팀과 원격 협진 가능	보통
응급의학 (Emergency Care)	응급상황 초기 진찰과 처치 가능	보통
소아과 (Pediatrics)	원격모니터링과 원격진료 가능하며, 아이가 심적으로 편하게 느끼는 집에서 진료 가능하다는 장점	보통
외과 (Surgery)	원격수술과 수술 후 원격관리 가능	낮음
신경과 (Neurology)	일부 증상 원격모니터링 가능	낮음

[표 4] 의료 분야에 따른 원격의료 특징과 활용 가능성

전통적으로 오지나 군대, 감옥 등 환자-의사 간 지리간 제한이 있는 경우를 중심으로 원격의료가 활발하게 활용되었으며, 특수한 지역인 해상, 우주, 극지방에서 발생하는 환자를 위해서도 원격의료가 활용되고 있다. 또한, 특수한 상황인 자연재해(지진, 화산폭발, 홍수 등), 화학사고, 감염병으로 인한 팬데믹(pandemic) 등에 원격의료의 역할이 중요하다.

글로벌 원격의료 시장은 원격모니터링, 원격진료상담, 원격의료교육, 원격의료훈련, 원격수술 등으로 구분된다. 현재 가장 큰 시장을 형성하고 있는 분야는 원격진료상담 서비스이지만, 향후 노년층의 증가에 따른 당뇨병, 파킨슨병 등과 같은 질환의 증가에 따라 원격모니터링 서비스 분야도 빠르게 성장할 것으로 보인다.

원격진료와 관련된 산업생태계는 스마트 헬스케어라는 새로운 산업으로 진화하고 있다. 최근 정부에서도 기존의 '원격의료'라는 표현을 '스마트 의료'라는 표현으로 바꾸어 사용하고 있다. 스마트 헬스케어는 4차 산업혁명의 핵심 ICT 기술인 IoT(Internet of Things, 사물인터넷), 클라우드 컴퓨팅, 빅데이터 및 인공지능(AI, Artificial Intelligence)을 헬스케어와 접목한 분야다.

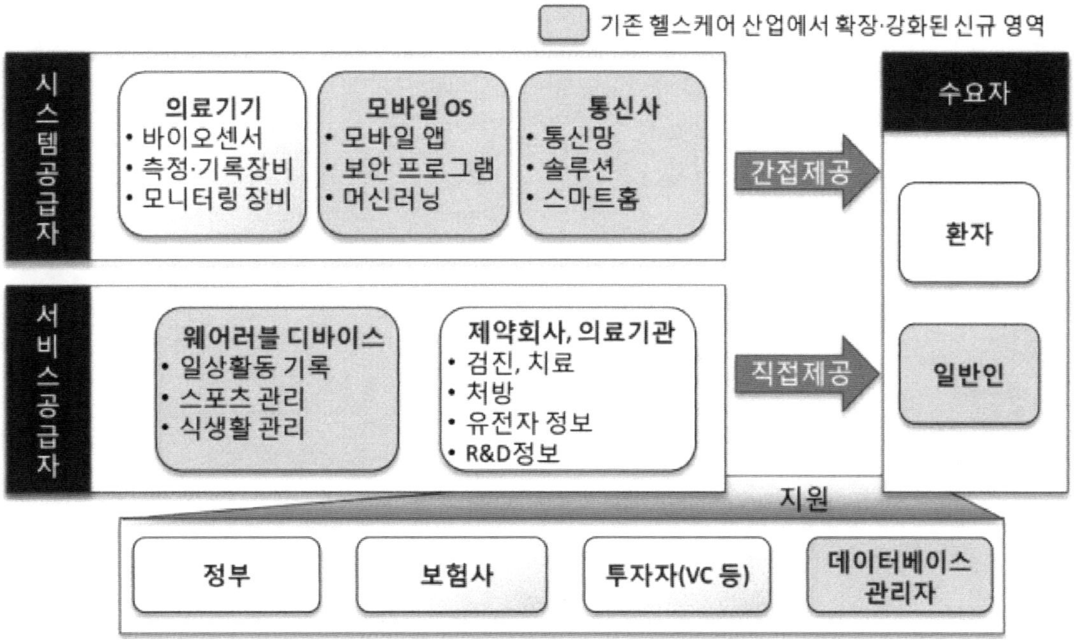

[그림 7] 스마트 헬스케어 산업생태계

기본적인 산업구조를 살펴보면, 소비자가 일상생활이나 의료기관 등 전문기관에서 생성해 낸 데이터를 데이터 전문 기업이 수집 및 분석하여, 이를 의료 및 건강관리 기업이 다시 활용하여 소비자에게 자문 및 치료해주는 구조이다.

마. 원격의료 장점과 문제점[5)]

1) 장점

가) 의료접근성 문제 해결 수단

원격의료를 찬성하고 허용을 주장하는 입장에서 가장 먼저 내세우는 원격의료의 장점은 바로 원격의료가 의료접근성 문제를 해결하는 수단이 된다는 것이다. 원격의료는 미국, 호주와 같이 국토 면적이 넓은 나라에서 외곽지역 및 농촌 지역의 의료접근성을 향상시키고 부족한 의료인력 문제를 해결하고자 도입하였다. 국토가 넓지 않은 프랑스 같은 경우는 의료 인력의 대도시 집중 문제로 인한 의료접근성 문제를 해결하기 위하여 원격의료를 도입하였다. 즉, 원격의료는 물리적(공간·시간)으로 의료기관과 의료 인력이 부족한 국가 혹은 지역에서 의료접근성 문제를 정보통신기술로 해결해 줄 수 있는 의료서비스 제공 수단으로 도입되었다. 정부는 원격의료 도입의 근거로서 산간벽지 및 격오지 주민에 대한 의료접근성 문제를 해결하기 위해서라고 밝힌 바 있다. 더불어 직장과 육아로 의료기관을 방문하기 어렵거나 물리적으로 이동이 어려운 장애인과 노인도 원격의료를 이용함으로써 의료접근성을 향상 시킬 수 있다.

나) 비용효과성

원격의료의 두 번째 장점은 원격의료가 대면진료에 비해 비용효과성이 좋다는 것이다. 원격의료는 의료기관을 방문하지 않고 정보통신기술을 이용하기 때문에 의료기관 방문 시간 감소, 대기시간 절약, 의료인의 공동 이용을 통해 의료서비스 비용 감소를 가져올 수 있다. 또한, 지속적인 만성질환의 효율적 관리로 인해 합병증으로 인한 의료 기관 입원 일수의 감소를 가져와서 비용을 절약할 수 있다는 것이다.

다) 의료의 질 향상

원격의료가 의료의 질 향상에 도움이 된다는 것이다. 대면진료와는 달리 고혈압과 당뇨 등 만성질환의 상시적 관리(실시간 데이터 전송 근거)가 가능하기 때문에 정확한 진단 및 처방이 가능하여 의료의 질 향상에 도움이 된다는 것이다.

라) 이용자 만족도

원격의료가 대면진료보다 이용자 만족도가 더 높다는 것이다. 즉, 우수 의료진을 선택할 수 있기 때문에 편의성이 높아지고, 충분한 진료 시간이 가능하므로 의료 이용 만족도가 높다는 것이다.

---

5) 원격의료 정책 현황과 대응방안 연구, 의료정책연구소, 2022.04

마) 미래 성장 동력

최근 포스트 코로나 시대에는 언택트 즉, 비대면이 뉴노멀(new normal)로 자리잡게 되면서 원격의료 도입 근거에 새로운 이유들이 추가되었다. 그 중 하나가 바로 원격의료가 미래 성장 동력이 될 수 있다는 것이다. 4차 산업 시대를 맞이하여 정부는 높은 수준의 정보통신기술(Information and Communication Technologies, ICT)과 바이오, 의료 산업 융합의 도구로서 원격의료를 활용하려고 하고 있다. 사물인터넷(Internet of Things IOT) 기반의 각종 웨어러블 기기를 통해 생성되는 수많은 건강 정보와 의료기관 시스템을 통해 생성된 진료 정보, 개개인의 유전체 정보 등 헬스케어 빅데이터는 그를 이용한 다양한 원격의료 관련 제품들의 활발한 개발을 가능하게 하고 이로 인해 새로운 의료 산업 시장이 형성되고 있다. 이는 전세계에서 공통적으로 일어나고 있는 현상이며 높은 정보통신기술을 가지고 있는 한국이 이를 선점하여 미래 성장 동력으로 활용할 수 있다는 것이다.

바) 변화하는 의료 패러다임에 대응

원격의료가 변화하는 의료 패러다임에 대응하는데 매우 유용하다는 것이다. 고령화와 만성질환 환자, 1인 가구가 급등하면서 의료 서비스의 패러다임이 바뀌고 있다. 의료의 패러다임은 과거의 치료 및 진단 중심에서 정밀의료, 예측의료, 예방의료 중심으로 변화하고 있다. 현대 질병에서 큰 비중을 차지하고 있는 암, 치매, 사회적 감염병(예: 코로나19, 사스, 메르스 등)에 대응하기 위해서는 이러한 질병들에 대한 데이터를 모으고 분석하여 예방 체계를 구축하는 것이 중요하고, 그로 인해 미래 의료의 질을 향상시킬 수 있는 가능성이 점점 커지고 있다. 이때 정보통신기술을 활용하는 원격의료가 매우 유용한 수단이 될 수 있다는 것이다.

2) 문제점

가) 안전성 문제

원격의료 허용에 있어서 가장 큰 논란이 되고 있는 문제가 바로 안전성 문제이다. 원격의료에 대한 안전성 검증이 되지 않았고 그로 인해 국민의 건강권 침해 가능성이 있다는 것이다. 원격의료 안전성 문제는 의학적 안전성과 기술적 안전성 문제로 나눌 수 있다. 의학적 안전성은 원격의료를 제공하였을 때 발생할 수 있는 오진 및 의료사고의 발생 위험성을 말한다. 원격의료 상황에서는 의료인이 아닌 환자가 직접 측정한 건강 및 의료 정보와 시진과 불안정한 청진만을 이용하여 환자의 상태에 대한 진단·처방을 해야 한다. 만약, 환자가 제공한 정보가 부정확하거나 시진과 청진만으로 환자 상태를 정확하게 진단하기 어려울 경우, 환자와 의사소통이 제대로 이루어지지 않을 경우 오진과 의료사고가 발생할 수 있다. 기술적 안전성은 정보통신기술과 인터넷 네트워크 등을 이용하는 과정에서 해킹과 같은 개인건강 정보보안 문제, 측정기기의 정확성 문제, 의료인과 환자 본인 식별 문제 등으로 발생할 수 있는 문제로 지금까지 검증 사례가 없다. 안전성 문제는 국민의 건강과 재산에도 영향을 미칠 수 있는 문제이기 때문에 검증이 꼭 필요한 문제이다.

나) 유효성 문제

원격의료 허용에 반대하는 또 다른 문제가 바로 원격의료의 유효성 문제이다. 과연 대면진료보다 원격의료가 유효성이 있는가하는 문제이다. 유효성은 원격의료가 대면진료와 동등하게 임상적 효과가 있다는 임상적 유효성과 의료접근성 문제 해결이라는 정책적 유효성이 있는가 하는 문제로 나뉜다. 임상적 유효성은 과연 원격의료가 대면진료와 동등한 임상적 효과를 가져오는가? 하는 문제이다. 임상적 유효성을 명확하게 평가하기 위해서는 원격진료/대면진료 환자군을 성, 연령, 중증도 등을 고려해서 엄격하게 구성하여 임상 실험을 진행하고 그 결과를 분석해야 알 수 있다. 기존에 정부가 진행했던 원격의료 시범사업은 정교하게 설계되지 못한 실험설계로 시범사업 결과가 원격의료로 인해 도출된 결과라는 인과관계를 증명하지 못하였다. 정책적 유효성은 정책 목표가 달성되었는가? 하는 것으로 원격의료의 도입목적인 의료접근성 향상과 국민 건강관리, 비용 효과성 등과 관련된다. 정부의 원격의료 정책 집행 상황을 보면 의료접근성 문제에 필수적인 의약품 택배는 허용하지 않고 있고, 오히려 디지털 접근성(고령 주민들의 디지털 양극화) 문제를 발생시키고 있다. 또한, 원격의료가 허용되면 일차의료기관이 아닌 대형병원 쏠림현상을 가져올 수 있다는 우려도 크다. 더하여 대면진료보다 의료접근성이 향상된다 하더라도 이것이 의료 과소비와 연결되어 비용 효과성이 떨어질 가능성도 크다. 따라서 임상적 유효성과 정책적 유효성에 대한 검증이 반드시 이루어져야 한다.

다) 접근 방법의 문제

정부는 원격의료를 산업·경제적 측면에서 추진하고 있다. 의료는 제공되지 않을 경우 국민의 생명을 위협할 수 있기 때문에 매우 중요한 필수 서비스이다. 따라서 의료법 제33조 1항에 의료기관 내에서 의료업을 하도록 대면진료 원칙을 규정해둠으로써 의료행위에 대해 국가가 엄격하게 규제하고 통제하고 있다. 그러나 원격의료에 대해서는 대면진료라는 의료의 본질을 왜곡하고 유관 산업계의 요구와 일자리 창출과 같은 신성장 동력의 수단으로 원격의료를 도입하려 하고 있다. 한국의 정보통신기술은 원격의료 도입 국가에게 매우 매력적이다. 즉, 유관 산업 입장에서는 HW, SW, 플랫폼과 같은 원격의료 관련 상품이나 서비스를 수출하기 위해서 내수 생태계 검증이 필요했고, 코로나19를 겪으면서 신성장 동력을 찾는 정부 입장과 이해관계가 맞아떨어지면서 원격의료가 다시 추진되기 시작하였다. 이에 대한 합리적 근거로 원격의료 정책을 보건복지부가 아닌 경제관련 정부부처인 기획재정부, 산업통상자원부, 중소벤처기업부에서 적극적으로 예산을 배정하고 추진하고 있다. 원격의료가 허용되면 유관 산업계에서는 관련 장비를 대형병원에 제공할 것이고, 상대적으로 일차 의료기관들에게는 재정적 부담으로 작용하게 되어 대형병원에 유리한 상황이 될 것이다. 이는 대형병원 쏠림현상을 심화시킬 것이고, 결국 의료전달체계의 붕괴와 일차의료기관의 몰락을 가져올 것이다. 따라서 원격의료는 대면진료가 불가피하게 불가능한 상황에서 보조수단으로서 논의되어야지 미래 신성장 동력의 수단으로서 효율성만 강조하는 산업적 측면에서 다루어져서는 안 된다.

라) 법적 문제

법적 문제는 의료계에서 원격의료와 관련하여 해결되어야 할 가장 중요한 문제로 다루고 있는 것으로 원격의료 시행 중 발생할 수 있는 문제에 대한 법적 책임소재에 대한 것이다. 원격의료 상황에서 발생할 수 있는 오진 혹은 의료사고에 대한 법적 책임은 현재 의료법 제34조 제3항에 따라 의사에게 있다. 즉, 의사는 환자가 제공한 의료정보에 근거하여 내린 의학적 판단으로 인해 발생할 수 있는 오진과 의료사고는 물론, 정보통신기술(기기, 인터넷 네트워크, 소프트웨어 등)의 결함으로 인한 오작동 및 해킹과 같은 보안상의 위험으로 인해 발생할 수 있는 오진과 의료사고가 발생했을 때도 책임을 져야 한다. 환자 진단 및 치료에 집중해야 하는 의사가 정보통신기술을 습득하고 관리하면서 오진과 의료사고 발생가능성, 법적 책임소재 및 의료분쟁 발생 가능성까지 감내하면서 원격의료를 할 수는 없다. 이런 법적 책임소재에 대한 제도적 정비가 미흡한 것은 결과적으로 원격의료로 인한 의료 분쟁의 증가를 가져오게 될 것이다. 분쟁은 곧 소송으로 이어질 수 있고, 이를 해결하기 위해서는 녹화된 진료 과정 증거자료를 제출하게 될 것인데 이는 방어진료[6]를 불러일으킬 수 있다. 이는 의료비 증가로 이어지고, 전반적인 국민경제의 부담을 가중시킬 수 있다. 따라서 법적 책임소재에 대한 제도화는 원격의료와 관련하여 가장 먼저 해결되어야 할 문제이다.

6) 의사들이 진료 시 자신을 보호하기 위해 취하는 조치로 의학적으로 필요하지 않은 검사나 치료 절차를 행하여 과잉진료를 하고 환자의 구급진료를 회피하는 등의 부작용을 빚게 됨

바. 원격의료의 발전[7)]

향후 원격의료가 발전하기 위해서는 어떠한 것들이 필요한지 살펴보도록 하자.

1) 기존 의료시스템과의 결합

원격의료는 기존 의료의 특정 부분을 대체하는 방식으로 성장해왔다. 따라서 감기 증상(General Medical), 피부과(Dermatology), 정신과(Behavior Health) 정도의 경증질환에 활용되고 있다. 원격의료가 더 진화하기 위해서는 기존 의료를 대체하는 것에서 나아가 기존 의료와 연계를 강화하여 통합솔루션을 제공할 필요가 있다. 궁극적으로 병원을 이용하지 않으면 현재 원격의료를 활용해서 치료할 수 있는 적응증에 한계가 있기 때문이다.

텔라닥은 Investor day 행사에서 의미있는 Case를 공유하였다. 이 사례를 잘 살펴보면 원격의료가 발전하기 위한 단서들을 찾아볼 수 있다.

허리통증을 겪고 있는 Abby라는 15세 치어리더는 치료를 위해 8가지 단계를 거쳤다.

① 원격의료에 접속하여 의사를 배정받고 상담을 시작.
② Abby는 과거에 주치의로부터 척추측만증 진단을 받은 바 있음.
③ 텔라닥은 10명의 전문의로부터 Abby와 관련된 영상과 정보를 수집함.
④ 이를 통해 그녀의 허리통증이 허리의 종양에 기인한 것임을 찾아냄.
⑤ 텔라닥의 전문의들은 로컬병원에서 허리 수술을 받을 것을 권고함.
⑥ 텔라닥은 소아 척추 전문의를 추천함.
⑦ Abby는 수술을 받음.
⑧ 텔라닥은 Abby에게 정신상담을 추천함.

여기서 핵심은 ③번과 ⑥번이다. ③번이 수행되기 위해서는 다른 의료기관에 저장되어 있는 EMR 데이터가 텔라닥과 공유되어야 하며, ⑥번이 원활하게 수행되기 위해서는 지역 병원이나 보험사와 연계되어 좀 더 저렴한 가격으로 의료서비스가 제공될 수 있어야 한다.

원격의료업체가 기존 의료시스템과 결합되지 못하면 Abby의 케이스와 같은 통합솔루션을 제공할 수 없고, 궁극적으로 헬스케어 산업의 Niche Market에서 벗어나지 못하게 된다.

---

7) 글로벌 의료기기, 미래에셋대우, 2020.03.23

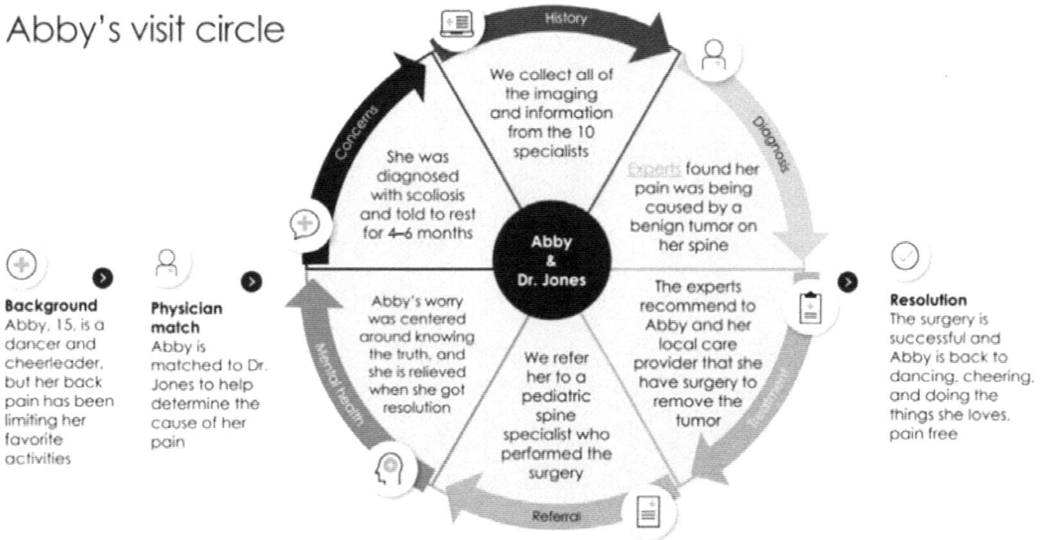

[그림 8] 원격의료를 활용한 통합의료 사이클

2) 기술혁신과 새로운 사회적 합의의 필요

앞으로 5G(통신속도)와 센싱(촉감, 시각, 후각)기술, 로봇제어기술와 같은 혁신기술이 원격의료와 접목되어야 한다. 이로 인해 의사가 활용할 수 있는 데이터와 의사가 수행할 수 있는 의료행위가 확대되어야 한다.

이와 함께 새로운 사회적 합의도 도출돼야 한다. 예를 들어, 원격수술을 진행하는 도중 갑자기 원격접속이 되지 않는다면 이건 통신사의 잘못일까? 의사의 잘못일까? 수술방 보조인력의 잘못일까? 이런 사고 발생 시 대처할 수 있는 수단은 어떤 것들이 있을까?

원격으로 환자의 호흡 상태를 느낄 수 있는 청진기가 개발되었다면, 데이터가 의사에게 전달되는 과정에서 오차는 어디까지 인정해야 할까? 기계의 결함과 Human error가 겹쳐져 더 안 좋은 결과를 만들지 않을까? 임상시험시 대조군이나 endpoint는 어떻게 설정해야 할까? 이처럼 헬스케어는 기술만큼이나 사회적 합의도 중요하다.

코로나 19 같은 전염병이 올지 예상한 사람이 주위에 몇이나 될까? 코로나 19 같은 예상치 못한 어떤 이벤트가 발생해서 원격의료의 발전을 더욱 촉진할 가능성은 언제나 열려 있음을 기억해야 하며 투자자들은 장기적인 투자 안목을 기르기 위해 노력해야 한다.

3 원격진료

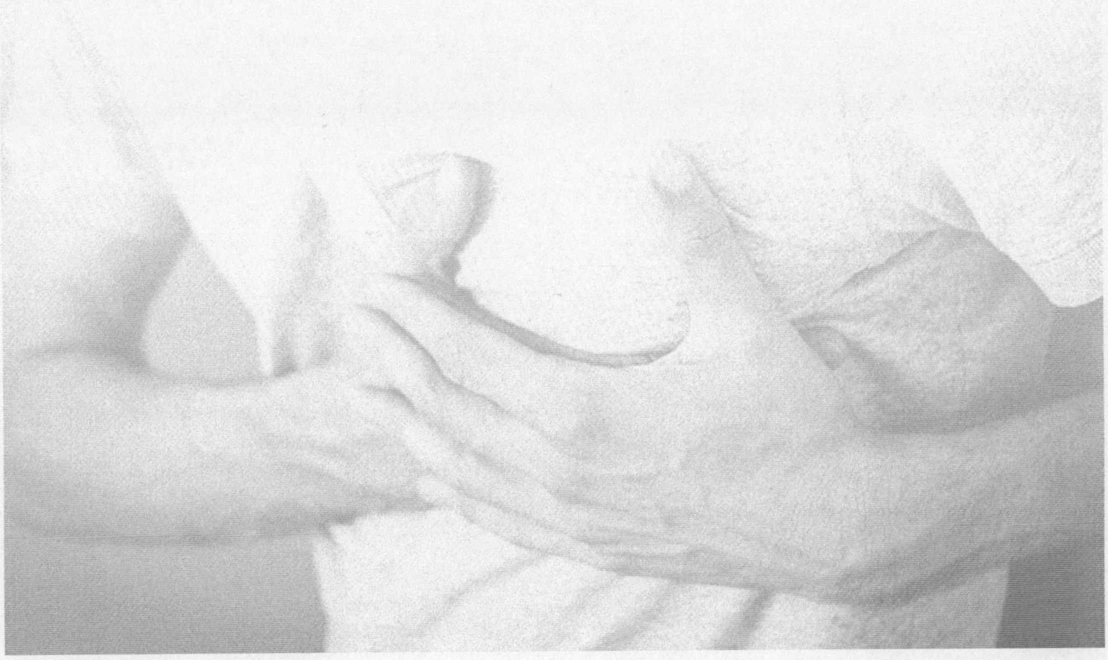

3. 원격진료[8)]

구분	미국(메디케어)	일본	프랑스
정의	• 의료공급자가 정보통신기술을 이용해 임상/비임상 의료서비스를 제공하는 'telehealth'와 임상 의료서비스 제공을 의미하는 'telemedicine'으로 구분되기도 하나 용어에 관해 통일된 정의가 마련되어있지는 않음	• 원격의료 중 의사와 환자 사이에 정보통신기기를 통해 환자의 진찰 및 진단을 실시하여 진단결과의 전달이나 처방 등의 진료행위를 실시간으로 하는 행위를 의미함 • 현재는 '원격진료' 대신 '온라인진료'라는 용어로 통일되어 있음	• 공중보건법 상 원거리에서 정보통신기술을 이용하여 의사 간, 의사와 보건의료인 간에 또는 의사와 환자 간에 이뤄지는 원격의료의 유형 가운데 의사와 환자 간에 이뤄지는 의료행위 임
범위 - 대상환자	• 메디케어 가입자로서 '환자 측 사이트'에 위치한 환자	• 초진 후 6개월 이상 매월 동일한 의사에게 대면진료를 받았거나 최근 1년 동안 6회 이상 통원한 환자	• 건강보험 가입자
범위 - 대상진료	• 매년 이해당사자들이 제출하는 원격 의료서비스 신청 항목에서 보험청이 대상 서비스를 승인함	• 의료기관이 지정한 특정 의학관리료 대상 환자	• 진료과목 제한 없음
개인 의료 정보 보호 및 보안	• 건강정보 보호와 보안에 관해 건강정보의 이전 및 그 책임에 관한 법률(HIPAA)을 준수해야 함	• 의료정보 안전관리 관련 가이드라인은 총무성, 경제산업성, 후생노동성에서 4개의 가이드라인을 제공함 • 현재 가이드라인을 2개로 통합하는 작업이 진행 중	• 원격진료 장비 및 정보시스템, 의사 인증 절차 등에 개인의료정보 보호 및 보안 규정이 적용됨
법적 책임	• 일반적인 대면 진료와 마찬가지로 면허 규정을 준수하고, 필요한 기록을 남기며 치료 기준을 준수할 경우 원격진료라고 해서 의료사고의 위험이 증가하지 않는다는 것이 전문가들의 견해	• 원격진료에 의해 의사가 시행하는 진료행위의 책임에 대해서는 원칙적으로 해당 의사가 책임을 지도록 규정되어 있음	• 원격진료 중 발생한 의사의 과실에 대한 법적 책임은 근본적으로 달라지지 않음

[표 5] 미국, 일본, 프랑스의 원격진료 비교

8) 코로나 19 사태로 본 미국, 일본, 프랑스의 원격진료, 국회도서관, 2020.04.14

가. 미국

미국은 연방정부 주도의 메디케어, 주정부 주도의 메디케이드, 민간보험 등 원격진료 서비스에 대한 다양한 수가 주체가 존재한다. 현재 미국에서 의료공급자는 직접 진료로 제공할 수 있는 거의 모든 진료를 원격진료로도 제공할 수 있으며 여기에는 질병 관리, 영양학 서비스, 유전 카운슬링, 완화치료, 심리 평가, 언어치료 등이 포함된다. 하지만 원격진료에 대한 보험 적용범위, 보상기준, 의료공급자 면허 규정 등은 수가 주체와 주별로 다르다.

원격진료 형태	운영방식	사례
실시간(동시) 오디오-비디오 연결	• 환자와 같은 장소에 있지 않은 의료공급자가 쌍방향 라이브 비디오 기술을 이용해 실시간으로 진단, 모니터링, 치료를 제공함	• 환자는 주치의로부터 진료를 받기도 하며 DTC(Direct-to-Consumer) 형태의 경우 새로운 의료인으로부터 진료를 받을 수 있음
저장-전송	• 환자와 같은 장소에 있지 않은 의료공급자가 환자와 같은 공간에서 대면 진료를 제공하고 있는 의료공급자를 지원하는 개념임. 원격진료 공급자는 전송받은 의료기록이나 영상을 바탕으로 치료 방안을 제시함	• '전자자문'이라 부를 수 있는 서비스로 치료 방안 제시 까지 시간이 걸리며 주로 피부과, 영상의학과, 기타 전문 진료과목에서 사용됨
원격 환자 모니터링	• 환자의 건강 데이터가 주기적으로 환자의 집에서부터 의료공급자에게 전송됨	• 의료공급자는 환자의 건강 데이터를 모니터하고 필요시 치료 방안을 수정함. 주로 천식이나 당뇨와 같이 만성질환 환자에게 사용되어 불필요한 병원 진료나 응급실 방문을 줄임
모바일 헬스	• 태블릿이나 휴대폰 등을 이용해 건강정보를 제공함	• 환자나 일반 대중에게 공중보건 정보나 교육을 제공함

[표 6] 미국의 원격진료 형태

1) 메디케어 원격진료의 범위

메디케어는 65세 이상의 노인, 65세 미만의 특정 장애를 가진 사람, 연령에 관계없이 신장 관련 질병으로 말기 단계에 있는 환자를 위한 연방정부의 건강보험이다. 메디케어에서 원격진료에 보험 급여가 인정되기 시작한 계기는 1997년 8월 「균형재정법(Balanced Budget Act)」이 제정되면서부터이며 당시에는 원격상담(consultation)에 한하여 보험이 적용되었다.

가) 원격진료 형태와 의료공급인

메디케어의 원격진료 프로그램은 보험청(The Centers for Medicare and Medicaid Services, 이하 CMS)이 관리하며, 기본적으로 특정 의료공급자가 행하는 특정 조건에서의 원격진료 서비스만을 인정한다. 메디케어 원격진료는 실시간 영상형태만 인정하고 있다. (저장-전송 방식은 알래스카와 하와이에서만 인정된다.)

메디케어에서 원격진료를 제공할 수 있는 의료공급자는 의사, 전문간호사, 보조 의사, 조산원,
임상 간호사, 공인인증 마취 간호사, 임상심리학자, 임상 사회복지사, 임상 영양전문가이다.

나) 지역 제한

메디케어는 원격진료를 농촌 지역을 위한 의료공급 전달방식으로 간주해 환자가 원격진료 서비스를 받을 수 있는 위치인 '환자 측 사이트(originating site)'를 협소하게 정하고 있다. 환자 측 사이트는 통계청이 정의하는 도시통계 지역(Metropolitan Statistical Area) 이외의 지역이나 미국 보건부 보건자원서비스청(Health Resource and Service Administration)의 정의에 따른 전문의 부족 지역(Health Professional Shortage Area)에 위치한 다음의 의료시설로 정의된다.

환자 측 사이트
개원의 사무실, 거점병원, 농촌진료소, 연방 헬스센터, 병원, 병원이나 거점병원의 인공투석센터, 전문요양시설, 지역 정신보건센터, 인공투석시설, 환자 자택(가정에서 투석하는 말기 신장 질환 환자의 임상 평가에만 해당), 뇌졸중 환자용 이동식 진료차

[표 7] 환자 측 사이트

다) 대상 서비스

메디케어의 보상 대상인 원격진료 서비스 항목은 매년 보건복지부, 의료공급자, 기타 이해당사자들이 제출하는 신청에 대해 CMS가 승인하고 있다. 2020년 메디케어 원격진료 수가 인정 목록에는 개인 심리치료, 말기 신장병 관련 서비스 등 100개 서비스가 포함되어 있다.

라) 코로나 19 관련

코로나 19 확산에 따라 미국 정부는 2020년 3월 6일부터 '코로나 19 공중보건응급사태' 기간 중 메디케어 원격진료를 위한 요건을 완화했다. 정부는 특정 지역의 특정 의료시설에 한정된 '환자 측 사이트'에 대한 요건을 완화해 환자가 모든 의료시설과 자택에서 메디케어 원격진료 서비스를 받을 수 있도록 했다.

마) 메디케어의 기타 원격서비스

메디케어는 2019년부터 전화, 영상을 통한 '가상 내원(virtual check-in)' 서비스에 관해 수가를 인정하고 있다. 가상 내원 서비스는 '메디케어 원격진료 수가 목록(List of Medicare Telehealth Services)' 과는 별도의 수가 코드를 가지고 있으나 크게 메디케어 원격서비스의 일부로 인정된다. 또한, 가상 내원의 경우 '메디케어 원격진료' 외의 기타 원격서비스이기 때문에 '환자 측 사이트'의 제한이 없다.

가상 내원 서비스는 '통신기술 기반의 간략 서비스'로 정의되어 의사와 전화, 보안 문자메시지, 이메일을 통한 커뮤니케이션, 그리고 비디오나 이미지를 전송해 의사의 의견을 구하는 방식이 모두 인정된다.

이용 대상은 기존에 해당 의료인으로부터 진료받은 적 있는 '기존 환자'로서 7일 이내에 진료받은 적이 없고, 이후 24시간 이내에 실제 내원으로 이어지지 않는 경우다. 가상 내원 서비스는 환자의 주도로 시작되어, 환자가 구두로 '가상 내원'에 동의하고 의사는 이 내용을 의료기록에 첨부해야 한다. '가상 내원'을 이용한 경우 환자는 보통의 대면 진료와 동일한 본인부담률에 의한 본인부담금을 지불한다.

2) 메디케어 원격진료 절차

메디케어의 원격진료 절차를 사례를 통해 살펴보도록 하자.

메디케어의 원격진료 절차
1. 두통, 메스꺼움, 구토 증세가 있는 환자가 '환자 측 사이트'인 농촌진료소를 찾음 2. 농촌진료소 의료인이 환자를 원격진료 장비가 있는 방으로 안내함 3. 원격진료를 담당할 '원격사이트(distant site)' 의료인은 필요한 문진을 시행하며, 농촌진료소 의료인은 체온과 심장박동 등 원격진료 의료인이 요청하는 바이탈 사인을 측정해 제공함 4. 원격사이트 의료인은 환자를 진찰한 결과와 환자와 의논할 향후 치료계획에 대해 전달함 5. 원격진료 후 원격사이트 의료인은 환자의 병력과 진료 이후 내려진 의료적 결정뿐만 아니라 원격진료가 시행되었다는 사실과 환자 및 원격지 의료인의 장소, 그리고 원격진료에 관련된 기타 의료인 및 관계자의 성명을 기록으로 남김 6. 원격진료 이후 환자는 보통의 대면 진료와 동일한 본인부담률에 의한 본인부담금을 지불함 7. 환자측 사이트 의료기관은 시설비용(facility fee), 원격사이트는 진료 급여를 메디케어에 청구함

[표 8] 메디케어 원격진료 절차

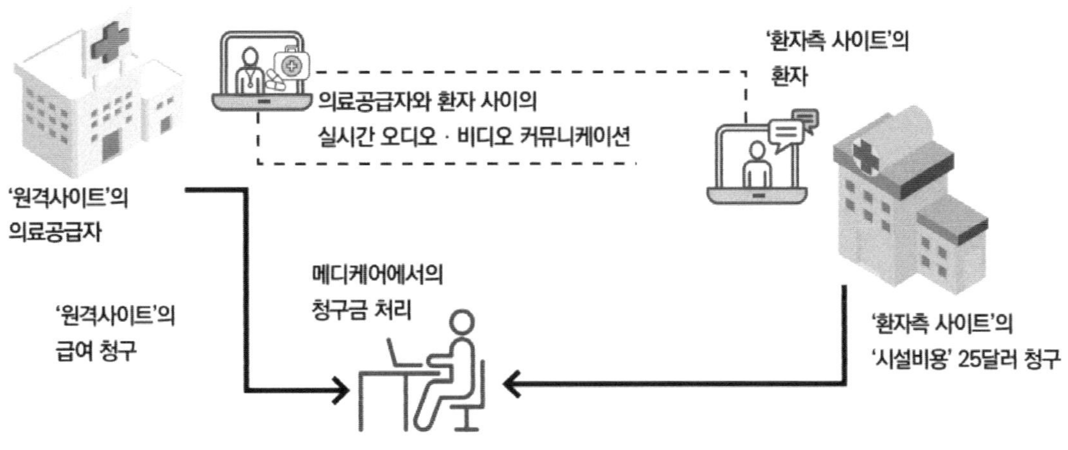

[그림 10] 메디케어의 원격진료 절차 사례

3) 개인의료정보 보호 및 보안

미국은 건강정보의 개인정보 보호에 관한 주요 규정은 「건강정보의 이전 및 그 책임에 관한 법률(Health Insurance Portability and Accountability Act, 이하 HIPAA)」을 따른다. 이 때, 원격진료의 보안과 개인의료정보 보호 문제는 기본적으로 환자의 직접 내원과 동일하게 취급하는 것이 원칙이다.

따라서, 기계의 보안 관련 HIPAA 요구조건을 충족해야 하며, 원격진료 시 제3자가 들을 수 없는 장소에서 이루어져야 한다. 또한 데이터를 완전히 암호화해서 전송하고 안전한 연결을 보장하는 기술을 사용해야 한다.

4) 법적 책임

미국의 전문가들은 원격진료를 제공한다고 의료사고 위험이 증가하거나 관련 규정이 더해지는 것이 아니라고 지적하고 있다. 일반적인 대면 진료와 마찬가지로 면허 규정을 준수하고, 필요한 기록을 남기며 치료 기준을 준수할 경우 원격진료라고 해서 의료사고의 위험이 증가하지 않는다는 것이다. 다만 환자가 위치한 주의 의료위원회에서 발급한 의료면허를 소지하지 않고 원격진료를 하여 의료사고가 발생할 시에는 불가피한 사고였다 하더라도 소송에서 패할 위험이 있을 수 있다.

2019년 미국의사협회지(JAMA)에 발표된 보고서에 따르면, 2000년대 초부터 등장하기 시작한 DTC(direct-to-consumer) 원격진료와 관련해 법원의 판결로 이어진 의료사고 소송 건이 없었던 것으로 조사되었다. DTC 원격진료는 기존 진료기록이 없는 환자가 전화, 컴퓨터, 스마트폰 등으로 의료 상담을 받는 형태를 일컫는데, 환자 신분에 대한 정확한 확인이나 최적의 진단과 치료가 어렵고, 의료기록의 확인이 적절히 이루어지지 않을 수 있다는 점 때문에 의료사고의 위험성이 제기되어 왔다.

그러나 보고서는 DTC가 주로 가벼운 부비강 문제, 호흡기 감염, 알러지, 독감 증세 등 의료사고의 가능성이 적은 증상에 관해서 이루어지며, 의료사고가 높은 신경외과 등의 과목은 원격진료로 제공되지 않기 때문에 의료사고 기록이 없는 것으로 보인다고 결론지었다.

나. 일본

일본에서 처음으로 의사-환자 간 원격진료를 허용한 것은 1997년 12월로, 도서 및 산간벽지 주민의 의료접근성 향상을 위해서 원격진료가 허용되었다. 후생노동성은 '정보통신기기를 활용한 진료(원격진료)'에 대한 고시를 제정하여, 대면 진료를 보완하는 차원에서 제한적으로 의사-환자 간 원격진료를 허용했다.

이후 2011년 동일본 대지진 이후 방사능 오염으로 의사가 없는 의료 소외지역이 늘어나면서, 일본은 이들 지역에 대한 의사-환자 간 원격진료를 제한적으로 허용했다. 이후 2015년에 들어서는 의사-환자 간 원격진료를 전면 허용하였고, 2018년에는 원격진료에 건강보험을 적용하여 원격진료비를 신설하는 등 원격진료를 적극적으로 확대하고 있다.

후생노동성이 2018년 3월 발표한 「온라인진료의 적절한 실시에 관한 지침」에서는 원격진료를 다음처럼 규정하고 있다.

	정의		본 지침의 적용
진단 등의 의학적 판단을 포함	원격진료	진단과 처방 등의 진료행위를 실시간으로 실시하는 행위	전면 적용
	원격진찰 권장	의료기관으로의 진찰 권장을 실시간으로 하는 행위	일부 적용
일반적인 정보제공	원격건강 의료 상담	일반적인 정보제공에 머물며, 진단 등 의사의 의학적 판단을 수반하지 않는 행위	미적용

[표 9] 지침의 적용 범위

이 지침에 의하면, 원격진료의 기본이념은 다음과 같이 정의할 수 있다.

원격진료 기본이념
① 환자의 일상생활 정보를 얻음으로써 의료의 질적 향상에 기여
② 의료를 필요로 하는 환자에 대해 의료접근성을 쉽게 확보하고 더 좋은 의료 기회를 확대
③ 환자가 치료에 능동적으로 참여하여 치료 효과를 극대화

[표 10] 원격진료 기본이념

1) 원격진료의 범위

가) 대상 환자

원격진료를 받기 위해서는 초진 후 6개월 이상 매월 동일한 의사에게 대면 진료를 받았거나 최근 1년 동안 6회 이상 통원한 환자여야 한다.

나) 대상 질환

아래 의학관리료 대상 환자는 원격진료비를 건강보험에서 적용할 수 있다.

원격진료 대상 질환 의학관리료
- 특정질환요양관리료 - 소아과요양지도료 - 뇌전증지도료 - 난치병외래지도관리료 - 당뇨병투석예방지도관리료 - 지역포괄진료료 - 치매지역포괄진료료 - 생활습관병관리료 - 재택 시 의학종합관리료 - 정신과 재택환자 자원관리료

[표 11] 원격진료 대상 질환 의학관리료

다) 지역

현재, 원격진료는 일본 전 지역에서 실시하고 있다. 하지만, 상황이 급변할 때 신속히 대응하기 어려운 도서 지역 등의 경우에는 사전에 관계 의료기관과의 합의가 있어야 한다. 만약 재택진료, 도서 지역이나 벽지 등 신속한 진료가 어려운 환자에 대해 미리 진료계획을 작성한 경우에 한해서는 원격 처방이 가능하다. 단, 새로운 증상의 변화에 대한 경과는 대면 진료로 확인해야 한다.

라) 코로나 19 관련

2020년 2월 28일 후생노동성이 발표한 '코로나 19 감염증 환자 증가 시의 전화나 정보통신기기를 이용한 진료나 처방전 처리에 대해'에 의해 상기의 대상 질환뿐만 아니라 만성질환 등을 가진 정기 진료환자에 대해서 전화나 정보통신기기를 이용한 진료가 가능해졌다.

2) 원격진료 절차

가) 대상 환자의 결정

의사는 환자의 질환, 증상, 생활 등을 통해 원격진료의 실시가 적절할 것으로 생각되는 환자를 결정한다.

나) 대상 환자와 원격진료 계획서에 대해 합의

진료계획을 작성하여 환자와 합의하고 그 내용을 진료기록에 첨부한다. 대면에 의한 진료주기는 3개월 이내로 한정한다.

다) 환자에게 스마트폰 앱 사용 안내

대상 환자에게 스마트폰 앱을 안내하여 앱을 다운로드한 후 등록이나 해당 의료기관과의 연계를 실시한다. 환자는 원격진료 앱을 통해 예약, 진찰, 수납, 처방·결제까지 모든 것을 할 수 있다.

원격진료 앱을 이용한 원격진료 흐름
1. 초진은 대면 진료지만 상황에 따라 원격 초진도 가능
2. 담당의와 원격진료의 상담 후 앱 등록
3. 진료 예약
4. 원격진찰 및 앱 결제
5. 자택으로 약 처방전 송부

[표 12] 원격진료 앱을 이용한 원격진료 흐름

라) 처방

현행 제도 하에서 원외 처방은 통상적으로 환자에게 우편으로 보내며, 환자가 처방전을 받아 근처 약국에서 약을 수령하는 방식으로 이루어져 왔다.

최근 2020년 2월 28일 후생노동성이 '코로나 19 감염증 환자 증가 시의 전화나 정보통신기기를 이용한 진료나 처방전 처리에 대해'를 통지했다. 따라서 처방전 정보를 팩스 등으로 환자가 희망하는 약국으로 송부하고, 약국은 그 처방전 정보에 의거하여 조제하는 것이 가능해졌다. 이로 인해 2020년 9월 1일부터 환자가 컴퓨터나 화상 전화 등을 통해 약제사로부터 약 음용 방법이나 주의사항 등을 배우는 '온라인 복약지도'가 가능해졌다.

3) 개인의료정보 보호 및 보안

원격진료에 이용되는 정보통신기기나 클라우드 서비스를 포함하는 원격진료 시스템 및 범용 서비스는 개인의료정보 보호를 최대한 보호하고 수반되는 위험에 대한 대책을 취해야 한다.

의사는 원격진료를 위한 진료계획을 작성할 때 환자에게 보안과 개인의료정보 관련 위험, 그리고 환자의 책임에 대해 설명해야 한다. 따라서 의사도 시스템이 수시로 업데이트되고 위험요소가 변할 수 있다는 것을 이해할 필요가 있다.

원격진료시스템 제공 사업자는 원격진료시스템을 구축하고 보안 측면에서 안전한 상태를 유지해야 한다. 또한, 원격진료시스템 사업자는 쉽고 이해하기 좋은 형태로 환자 및 의사가 시스템을 이용할 때의 권리, 의무, 정보유출·해킹 등의 보안 위험, 의사·환자 쌍방의 보안대책의 내용, 환자에 대한 영향 등에 대해 의사에게 설명해야 한다.

의료정보 안전관리 관련 가이드라인은 총무성, 경제산업성, 후생노동성에서 4개의 가이드라인을 제공하고 있다. 후생노동성은 2005년 3월 '의료정보 시스템 안전관리에 관한 가이드라인'을 작성하고 2017년 5월에 5차 개정을 실시하였으며, 2020년에 6차 개정이 예정되어 있다.

총무성과 경제산업성은 기존에 각각 작성한 가이드라인을 정리 통합하기로 검토하였으며, 2020년 3월 '의료정보를 다루는 정보시스템·서비스 제공 사업자의 안전관리 가이드라인(안)'을 책정하여 의견을 공모하기도 했다.

4) 법적 책임

의사는 환자와 상호 신뢰가 필요하며 원칙적으로 초진은 대면 진료를 실시해야 한다. 또한, 의사는 비밀유지의 의무가 있다.

'온라인진료의 적절한 실시에 관한 지침'에는 원격진료에 의해 의사가 시행하는 진료행위의 책임에 대해서는 원칙적으로 해당 의사가 책임을 지도록 규정되어 있다. 의사는 원격진료에서 충분한 정보를 취득했는지, 그 정보로 적절한 진료를 할 수 있었는지에 대해 신중히 판단하고 원격진료에 의한 진료가 적절하지 않을 경우에는 신속히 원격진료를 중단하고 대면 진료로 전환해야 한다.

또한, 의사는 환자의 의료정보가 유출되는 것과 조작되는 일이 없도록 정보통신 및 환자의 의료정보 보관에 대해 충분한 정보보안 대책이 실시되고 있다는 것을 확인해야 한다.

다. 프랑스

프랑스에서 원격의료는 사회가 직면한 인구 고령화와 만성질환 관리 문제를 해소하고 의료취약지의 의료서비스 접근성과 의료서비스 제공의 효율성을 높일 목적으로 도입되었다. 원격의료 시범사업은 초기에는 대학병원을 중심으로 추진되어 오다가 정부가 2014년부터 의료복지시설과 환자 간, 동네 의원과 환자 간의 원격진료 시범사업을 도입하면서 원격진료가 발전하는 계기가 되었다.

프랑스에서 원격진료는 의사가 환자와 대면하는 외래진료와 같은 법적 지위를 가지고 있다. 따라서 원격진료에는 진료방식, 의료윤리, 진료지침 기준에서 외래진료와 같은 법 기준이 적용된다. 여기에 더하여 원격진료에는 정보통신기술이 활용된다는 특수성으로 인해 원격진료 장비, 의료정보 및 정보시스템 보안 등과 관련된 추가적인 규정이 적용된다. 따라서 원격진료를 하려면 환자와의 영상통화를 위한 통신수단을 갖추고 메신저, 의료정보 교환 플랫폼 접근, 의료데이터 호스팅 서비스 등과 관련된 데이터의 교환, 공유 및 저장을 위한 정보시스템을 갖출 것이 요구된다.

1) 원격진료의 범위

가) 이용 대상

현재 프랑스에서는 프랑스 자국민과 프랑스에 합법적으로 거주하는 외국인은 공적 보험인 건강보험에 가입되어 있어 이들 모두 원격진료 서비스를 이용할 수 있다.

나) 진료과목

원격진료는 모든 진료과목에서 이뤄질 수 있으며, 원격진료에 필요한 장비와 의사자격증을 보유한 의사는 전공 분야에 상관없이 원격진료를 할 수 있다.

다) 건강보험 적용 조건

원격진료에 건강보험이 적용되려면 2가지의 기술적 조건을 충족해야 한다.

건강보험 적용을 위한 기술적 조건
① 원격진료의 품질과 비밀성, 그리고 의료정보의 보안이 보장되도록 영상통화를 활용하여 원격진료를 할 것 ② 보안 솔루션에 접속하여 원격진료를 할 것

[표 13] 원격진료 건강보험 적용을 위한 기술적 조건

또한, 환자가 원격진료에 대해 70%의 건강보험 보장률을 적용받으려면 다음의 조건이 충족되어야 한다.

원격진료에 대해 70% 건강보험 보장률 적용 조건
① 원격진료가 주치의 중심의 진료 의뢰체계에서 이뤄질 것. - 프랑스는 주치의 제도를 시행하고 있어 주치의가 아닌 다른 전문과목 의사의 진료는 주치의를 통해 의뢰되어야 70%의 건강보험 보장률을 적용받으며, 이는 원격진료 부문도 동일하다.
② 원격진료 대상 환자는 최근 1년 이내 의사와 대면 진료를 해본 적이 있는 재진 환자일 것. 즉, 환자 관리는 대면 진료와 원격진료가 교대로 이뤄져야 함.

[표 14] 원격진료 70% 건강보험 보장률 적용 조건

하지만, 16세 미만인 환자, 건강 상태가 나빠 주치의와의 예약을 기다릴 수 없는 환자, 주치의가 없는 환자, 주치의 의뢰 없이도 받을 수 있는 안과 등의 일부 전문과목 진료, 의료복지시설의 노인과 장애인, 교정시설 재소자, 응급상황 등의 경우에는 위의 조건을 충족하지 않아도 건강보험이 예외적으로 적용된다.

프랑스는 2020년부터는 건강보험에서 동네 의원의 원격진료 장비 구매 비용을 525유로까지 지원하기로 했다. 지원 대상인 의료기기에는 원격진료용 산소포화도 측정기, 전자청진기, 피부확대경, 검이경, 혈당 측정기, 심전도 등이 포함된다.

라) 코로나 19 관련

최근 프랑스 정부는 코로나 19 확산을 막는 차원에서 대면 진료 대신 원격진료의 이용을 촉진하기 위해 원격진료 시행 조건을 한시적으로 완화했다. 이에 따라 2020년 5월 30일까지 주치의 의뢰 없이도 원격진료를 받을 수 있고, 초진환자도 원격진료를 받을 수 있게 되었다.

2) 원격진료 절차

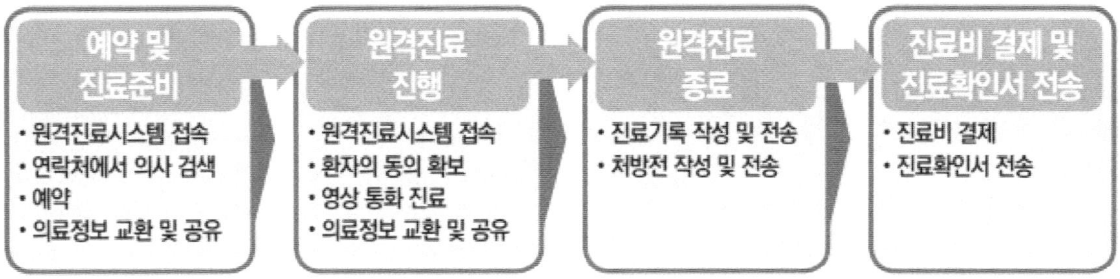

[그림 11] 원격진료 절차

가) 사전 준비

원격진료에 앞서 의사는 환자에게 원격진료와 대면 진료의 차이, 원격진료 방식 및 절차에 대해 설명하고, 환자의 동의를 사전에 얻어야 한다. 이때, 원격진료 진행 여부는 의사가 결정하는 사안으로, 환자의 임상 상황, 환자의 의료정보에 접근할 수 있는지, 환자의 의사소통 능력과 컴퓨터 사용능력 등을 종합적으로 고려하여 의사가 원격진료 진행 여부를 결정하게 된다.

환자는 의사가 승낙하면 원격진료를 예약할 수 있다. 환자는 원격진료를 받을 장소를 선택할 수 있다. 주로 자택에서 원격진료를 받지만, 근처에 있는 지역 의료단체 또는 약국 내부에 마련된 원격진료 전용 공간을 활용할 수도 있다.

나) 진료 진행

예약된 원격진료를 시작하기 위해 의사는 환자에게 웹 또는 모바일 앱 링크를 보내 웹캠이 설치된 컴퓨터, 태블릿, 스마트폰에 접속하도록 한다. 의사는 원격진료를 받을 환자의 이름, 생년월일, 성별 등의 신원과 현재 환자의 위치를 확인한 후 인증 절차를 밟아 원격진료 시스템에 로그인하여 환자의 의료정보를 열람하면서 원격진료를 진행한다. 이때, 노인복지시설에서 거주하는 환자는 시설에서 일하는 간호사 등의 도움을 받아 원격진료를 받을 수 있다.

다) 처방 및 진료비 결제

원격진료를 마치면 의사는 환자에게 진료 결과를 알려주고 필요하면 처방을 한 후 원격진료 기록을 작성한다. 의사는 원격진료기록을 환자에게 전송하고, 환자가 지정한 주치의 등 다른 의료인에게도 전송한다. 이때, 처방전은 우편으로 보내거나 전자 우편으로 전송하고 진료확인서를 보험사에 전송한다. 환자는 진료비를 수표, 은행계좌 이체, 인터넷 등을 통해 결제한다.

3) 개인의료정보 보호 및 보안

환자의 의료정보는 개인정보에 해당하므로 원격진료 정보시스템과 장비, 의사 인증 절차 등의 기준에는 개인의료정보 보호 및 보안 규정이 적용된다. 따라서 의사는 원격진료 플랫폼에 접속하거나 환자의 의료정보를 열람할 때 2가지 이상의 인증정보를 결합한 다중인증 방식 등과 같이 강화된 인증 절차를 밟아야 한다.

원격진료를 위한 영상통화시스템, 보안 메신저, 플랫폼 등의 원격진료 솔루션에는 정부가 수립한 「의료정보보안지침(PGSSI-S)」을 적용한다. 또한, 원격진료에 활용되는 환자의 의료정보 보호는 「EU 개인정보보호법(GDPR)」과 「의료정보 보안지침(PGSSI-S)」을 따른다. 그리고 의료데이터 호스팅 업체를 활용할 때는 공인기관의 인증을 받은 업체를 택해야 한다.

원격진료 공간은 의사와 환자 간에 주고받는 개인의료정보의 기밀성을 보장할 수 있는 환경으로 조성해야 한다.

4) 법적 책임

원격진료 중에 발생한 의사의 과실에 대한 법적 책임은 일반 대면 진료와 비교해 근본적으로 달라지지 않는다. 의료과실 증명 책임은 여전히 환자에게 있고, 환자는 병원 또는 의사에게 원격진료행위에 대한 책임을 물을 수 있다.

의사는 의료기기와 관련하여 원칙적으로 안전 목표를 달성할 의무를 지며, 원격진료 장비도 의료기기로 분류되어 있어 원격진료 장비에 대해서도 안전 의무를 가진다. 의사는 원격진료 장비의 사용 방식은 물론 그 한계를 알고 있어야 하고, 원격진료에 활용되는 원격진료 솔루션 제공업체의 전문성과 비밀유지 의무 준수를 보장해야 한다.

만약, 원격진료 장비의 오작동으로 인해 사고가 발생하면 피해자는 의사의 과실이 없더라도 의사에게 책임을 물을 수 있고, 장비 업체에도 마찬가지로 책임을 물을 수 있다. 만일 사고의 원인이 원격진료 솔루션 제공업체의 계약 위반에 기인하면 의사는 해당 업체에 구상권을 청구할 수 있다.

라. 스웨덴[9)]

1) 원격의료 도입 배경

스웨덴은 전 국민에게 지불 능력과 관계없이 무상 수준의 보건의료를 제공하는 국가보건서비스(NHS)를 시행하는 대표적인 국가들 중 하나이다. 스웨덴은 보건의료를 국민의 권리로 인정하고 사회 취약계층에 대한 의료를 우선시하는 원칙을 가지고 있으며, 중앙정부가 중심이 되어 구축한 의료보장제도를 주 의회와 지방자치단체로 분권화하여 보건 관련 업무수행의 자율성을 인정하고 있는 특징을 가지고 있다. 또한, 보건의료재정을 국민의 세금을 통해 조달하여 국민들에게 균등한 의료서비스 제공을 하고 있으며, 특정 의료서비스에 대해서만 본인부담금을 지불하게 하고 있다.

이러한 보건의료체계를 바탕으로, 스웨덴은 유럽국가들 중에서 기대수명이 가장 높은 것으로 보고되며, 양질의 진료에 대해 높은 의료접근성을 보장하는 것으로 알려져 있다. 하지만 이를 위해 보건의료 분야에 많은 국가재정을 할당함으로써 1인당 의료비 지출과 GDP 중 의료비의 점유율이 유럽국가들 중 세 번째로 높은 것으로 나타났다. 또한, 보건의료체계상 의료서비스 대기 시간이 길다는 점이 큰 단점으로 지적되며, 특정 수술을 위해 3개월 이상 대기하던 환자의 비율이 최근 5년 사이에 2배 증가한 사례를 확인할 수 있다. 따라서 스웨덴은 이와 같은 보건의료재정의 과도한 지출 및 진료 대기 시간 문제를 해결하기 위하여 원격의료를 포함한 e헬스의 도입을 강조하고 있다.

이를 위해 스웨덴은 성공적인 원격의료 도입의 밑바탕이 되는 전자시스템을 오랜 기간 동안 갖춰온 역사가 있다. 우선적으로 1984년부터 전자처방전 시스템을 개발하여, 현재 처방전의 약 90% 이상을 국가 전자처방전 관리시스템을 통해 의사가 생성하고, 안전한 네트워크를 통해 국가 처방데이터베이스로 전송하고 있다. 또한 전자건강기록(EHR)을 1990년대 후반부터 활용하였으며, 2008년 관련 법률을 채택한 이후 특정 조건 하에 환자들이 디지털화된 개인건강기록에 접근할 수 있게 되었다. 이 외에도 스웨덴은 전 세계에서 인터넷 보급률이 가장 높은 국가들 중 하나로서 의료취약지역 및 소외계층의 원격의료 접근을 용이하게 할 수 있는 강점을 가지고 있다.

2) 원격의료 도입 과정

스웨덴 정부는 원격의료를 포함한 국가 수준의 e-헬스 전략을 세 단계에 걸쳐 실시하였다. 2006년에 발표한 첫 번째 e-헬스 전략은 IT 솔루션이 디지털 커뮤니케이션, 의료기록 및 처방 서비스와 결합되어 일상적인 보건의료의 일부가 되어야 한다고 강조했다. 더 나아가 IT 발전이 진료의 질, 환자의 안전과 접근성을 향상시킬 것으로 전망하였고, 인터넷이 e-헬스의 발전을 지원하는 주요 도구로 여겨졌다. 또한, 국가적으로 조정하고 포괄할 수 있는 플랫폼에 대한 필요성이 요구되었고, 온라인 예약 시스템 및 구체적인 원격의료 서비스들이 구상되었다.

---

9) 스웨덴 원격의료 도입의 현황과 시사점, 문성제, 2020

두 번째 국가 수준의 e-헬스 전략은 2010년에 발표되었다. 이는 기존 국가전략의 구체적인 결과를 기반으로 하며, 기술의 발전보다는 기술의 구현, 사용 및 이점에 초점을 두고 e-헬스를 정책 영역으로 바라보았다. 첫 번째 e-헬스 전략은 보건의료에 대한 개인의 요구와 필요에 부응하는 것이었지만, 두 번째 전략은 e-헬스 인프라와 서비스가 어떻게 개인을 지원하고, 동기부여를 통해 참여시키는지 증명하는 데 집중하였다. 즉, 두 번째 전략의 궁극적인 목표는 e-헬스에 대한 개인 권한 부여와 자기 결정을 촉진시킴으로써 공중보건 시스템을 개선시키는 것이었다.

마지막으로 2016년에 발표된 세 번째 e-헬스 전략은 이전 두 전략과 유사한 가치와 원칙을 전달하지만, 건강 형평성에 초점을 두었다는 점에서 차이를 가진다. 보건 분야의 디지털화를 통해 차별적이지 않고 여러 집단의 요구를 평등하게 구현하는 것을 중시하였다. 또한, 건강 및 보건 서비스에 있어 다른 사회 집단과의 부당한 차이를 개선할 수 있는 기회를 e-헬스 및 원격의료를 통해 제공하고자 하였다.

3) 원격의료 도입 성과

스웨덴은 10년이 넘는 기간 동안 국가 수준의 e 헬스 전략을 수행해오며, 다양한 맥락의 지원 및 활동을 통해 원격의료뿐만 아니라 포괄적인 e-헬스의 국가적 성과 및 발전을 이루었다.

우선적으로 2019년 기준, 스웨덴 전체인구의 약 63.35%인 650만 명이 국가 보건 포털인 'Healthcare Guide 1177's e-service'[10]에 접속하였으며, 5천만 건 이상의 접속을 함으로써 전년도 대비 35% 증가한 의료접근성 향상을 보였다.

또한, 약사가 제약 관련 문제를 결정하는 데 도움이 되는 'Electronic Expert Support'가 3년 동안 꾸준히 2배씩 증가하였고, 의료 처방전의 99% 이상이 전자처방(ePriscription)을 통해 이루어졌다.

이 외에도 모든 국민들이 국가 보건 포털을 통해 자신의 의료기록을 읽고, 처방된 약물 및 검사 결과를 볼 수 있으며, 95%의 지자체가 서로 다른 의료서비스 제공자의 의료기록에 접근할 수 있도록 연결되어 있다. 이러한 의료정보 제공을 허가 한 지자체는 2018년 대비 두 배 증가한 결과를 보였다.

10) 환자와 의료서비스 제공자를 위한 국가 보건 포털로서 환자가 간단하고 안전하게 의료서비스 또는 건강관리 정보를 얻을 수 있다. 환자에게 제공되는 전자 서비스의 예로는 치료 및 후속 조치, 온라인 예약, 반복 처방 주문, 검사 결과 확인 등이 있다.

4) 원격의료 문제점

스웨덴의 원격의료 도입이 유럽국가 중 우수한 사례로 선정됨에도 불구하고, 원격의료에 대한 비판적 의견이 꾸준히 제기되고 있다. 큰 맥락으로 살펴보면, 의료이용 행태에 따른 부작용과 비용적 문제로 요약될 수 있다.

우선적으로 가장 큰 우려 사항은 편의성에 따른 의료 과이용의 발생이다. 의료진단은 원격의료만으로 내려질 수 없고, 대면 진료를 통한 실질적인 검사가 필수적으로 요구된다. 하지만 원격의료의 확대는 의사들이 진단검사를 줄이고, 항생제와 같은 약물을 과다 처방하는 경향을 발생시킬 위험이 있으며, 사소하거나 불필요한 원격의료의 양을 늘림으로써 보건의료서비스의 과이용을 조장할 수 있다는 것이다.

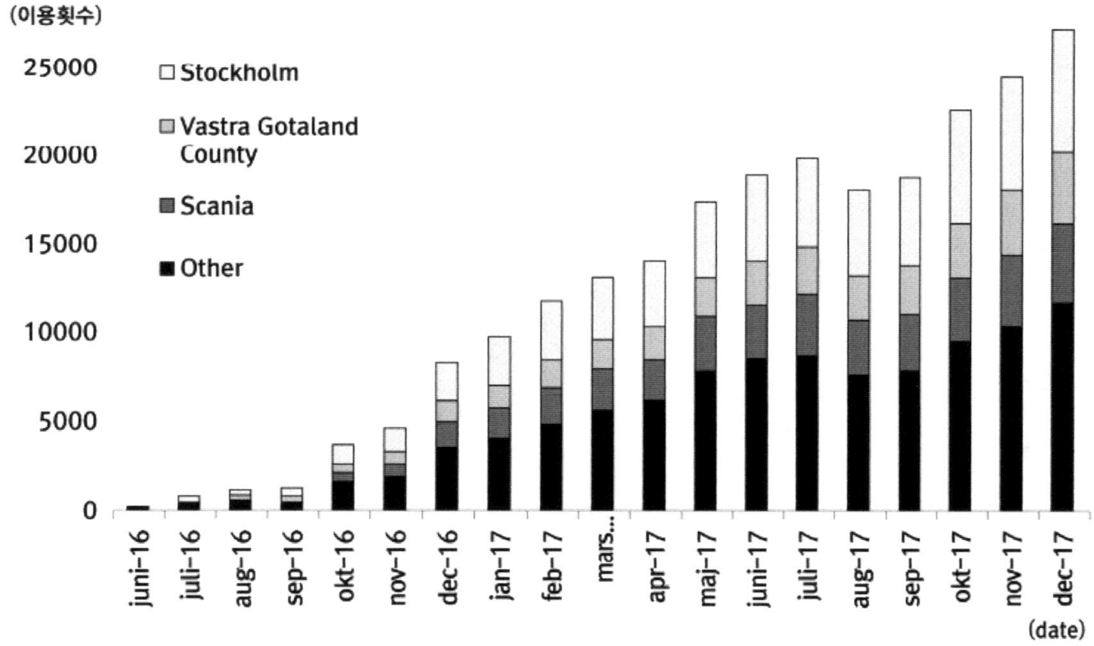

[그림 12] 스웨덴의 도시별 원격의료 이용횟수

2016년도 스웨덴의 원격의료 이용량을 확인한 결과, 인구가 가장 많은 지역이 원격의료 이용의 대부분을 차지하는 것으로 나타났다. 스웨덴의 수도인 스톡홀름의 인구점유율이 2017년 기준으로 약 23%인 것에 반해, 전체 원격의료의 43%가 스톡홀름에서 발생하였고 인구점유율 대비 약 2배 가까이 과이용되는 양상이 확인되었다. 즉, 의료취약지역의 접근성 강화보다는 편의성에 의한 의료이용 상승이 야기된 사례로 보여진다. 또한, 원격의료 사용자의 연령 분포를 살펴보면, 0~4세의 의료 이용률이 가장 높은 것으로 확인되었다. 유아 인구는 스웨덴 전체 인구의 약 6%임에도 불구하고 원격의료 이용량의 약 20%를 차지하는 과이용 양상을 보였다.

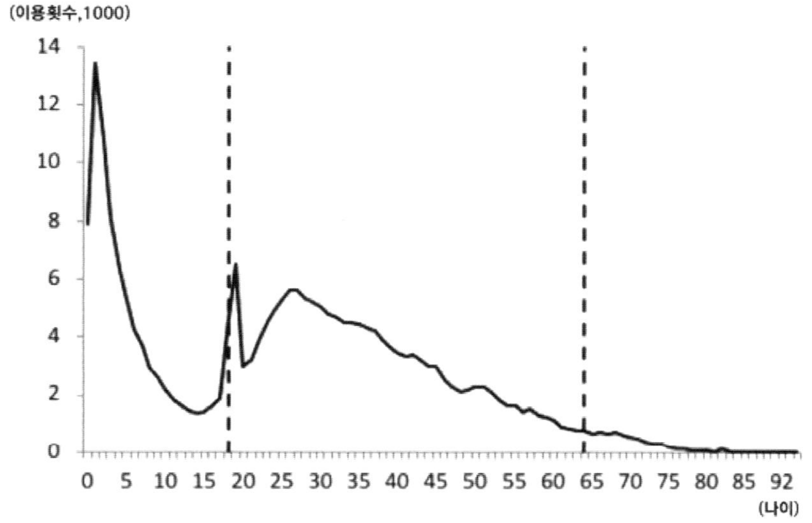

[그림 13] 스웨덴의 연령별 원격의료 이용횟수

이는 e-헬스에 접근이 용이한 젊은 연령대의 부모들이 원격의료를 통해 아이의 진단 및 처방을 받은 것으로 해석된다. 반면에 원격의료를 통한 사회 취약계층의 의료접근성 향상이 중요한 목표임에도 불구하고, 인구 점유율 대비 65세 이상 노인의 원격의료 이용량은 낮은 수준으로 조사되었다.

이와 같은 원격의료 도입에 따른 접근성 향상과 의료 과이용 양상은 결과적으로 1차 의료 방문비용을 지원하기 위한 정부 보조금의 막대한 증가를 야기하고, 납세자들에게 지속 불가능한 비용 증가를 초래할 위험이 있다. 원격의료를 도입했음에도 불구하고 실질적인 의료기관 방문 횟수가 줄지 않고 원격의료비가 증가할 경우, 진료 우선순위의 악화 및 추가적인 의료이용량의 증가가 발생한 것으로 해석된다. 따라서 그로 인한 국가 총 의료비 증가 및 공공재정 악화가 발생하는 것이 아닌지 국가 차원에서 고려할 필요가 있다.

또한, e-헬스의 도입을 규모의 경제 측면에서 바라보면, 규모가 큰 국가들의 경우 디지털화된 보건의료시스템을 통해 비용 절감효과를 극대화 시킬 수 있지만, 인구수가 적은 스웨덴은 국민들의 수를 고려하였을 때 투자비용 대비 효과가 제한적일 수 있다. 이는 2014년 기준, 스웨덴에서 더 많은 전차 처방과 온라인 상담이 활용되어도 1인당 상담 건수의 효율성이 높아지지 않을 것이라는 결과에 의해 일부 설명이 된다. 그 밖에도 민간 원격의료 제공자와의 협력이 진단의 활용도를 낮추고 의료 처방의 남용으로 이어져 의료비 상승의 원인이 될 위험이 있다.

마. 영국[11)]

1) 이컨설트 개요

이컨설트는 런던의 헐리 그룹에서 개발한 의료서비스 플랫폼으로, 1차 의료기관인 지역 의원(GP)의 진료를 보다 신속히 제공하기 위해 만들어졌다. 개발한 모델이 성공적으로 안착되면서 타워 햄리츠 지역을 비롯한 300여 곳의 지역 의원에서 사용되고 있다. 이컨설트는 의료팀과 기술팀으로 구성되어 있으며, 환자의 전자 기록을 관리하는 시스템 및 소프트웨어 회사인 EMIS 헬스와 긴밀하게 협력하고 있다.

온라인진료 플랫폼인 이컨설트는 환자가 자가진단 및 진료 요청을 할 수 있으며, 환자가 의료진들에게 어떤 도움을 필요로 하는지 판단할 수 있도록 도움을 준다. 사우스햄튼에 위치한 헤지 엔드 지역 의원은 이컨설트를 온라인 서비스에 적용한 결과 영국 보건사회복지부 산하 기관인 돌봄품질위원회(CQC)의 품질 보고서에서 우수한 평가를 받았다.

2) 이컨설트 활용 방법

환자가 지역 의원 사이트에 접속하여 어떤 서비스를 원하는지에 따라 자가진단 안내를 받거나 의사 상담을 선택할 수 있으며 다음과 같은 경우에 이컨설트를 사용할 수 있다.

① 특정 증상이나 질환에 대한 진료가 필요한 경우

환자는 100개가 넘는 일반 질환 목록을 탐색하여 자신의 상황에 맞는 증상이나 질환을 찾을 수 있다. 자가진단이 끝난 후에는 자가 치료를 진행할지 의사를 방문할지 선택할 수 있다. 자가 치료를 선택한 경우 환자의 질환과 치료법, 따라야 할 수칙 등에 대해 안내되는 페이지로 넘어간다. 주치의와의 상담을 선택할 경우에는 대면 진료 없이 처방전 및 안내사항을 전달받을 수 있다.

② 자신의 증상에 대해 확실히 판단할 수 없는 경우

환자가 자신의 증상에 대해 정확히 알 수 없거나 주치의의 소견이 필요한 경우, 온라인으로 진료 신청서를 작성하여 제출할 수 있다. 신청서에는 상담을 통해 원하는 사항(예 : 대면 진료)을 구체적으로 기입할 수 있게 되어 있으며, 환자는 본인의 증상을 최대한 자세히 작성해야 한다. 대부분은 지역 의원을 방문하는 대면 진료가 필요하지 않은 경우이므로 주치의의 원격진료로 진단받을 수 있다.

③ 검사 증명서, 진단서, 의료기록 등이 필요한 경우

환자가 진단서, 의료기록 등이 필요한 경우 이유와 목적을 작성한 신청서를 제출하면 지역 의원에서 접수하여 처리한다. 헤지 엔드 지역 의원에서는 지역 의원 관리자 및 행정 관리자가 먼저 요청을 접수 받은 후 담당 주치의, 간호사, 행정관 등 해당 주치의에게 전달하고 있다.

---

11) 영국의 원격의료 활용 사례, 대한민국시도지사협의회, 2021.06.08

ECONSULT

How it works

When a patient accesses the portal on their practice's website, they will be asked what they want.

1 Need advice about a specific problem or condition?

If this option is chosen, the patient will be navigated to a list of over 100 common medical problems. When they identify their problem, they will be asked if they want to access self-help and advice or whether they would like to consult with their doctor. If they want access to self-help and advice, a page will load that will explain what the problem is and how the patient can treat the symptom, if appropriate. If they consult with their doctor, this may result in a prescription or advice, and avoid a face to face appointment.

2 Unsure what your symptoms mean?

If a patient is unsure what the problem is or would like advice from their GP, they can fill in a form on the platform, which initially asks them what they want to achieve out of the consultation (e.g. a face-to-face appointment), and then asks them to describe their symptoms in as much detail as possible. GPs can close the majority of these consultations down without the patient having to come into the surgery.

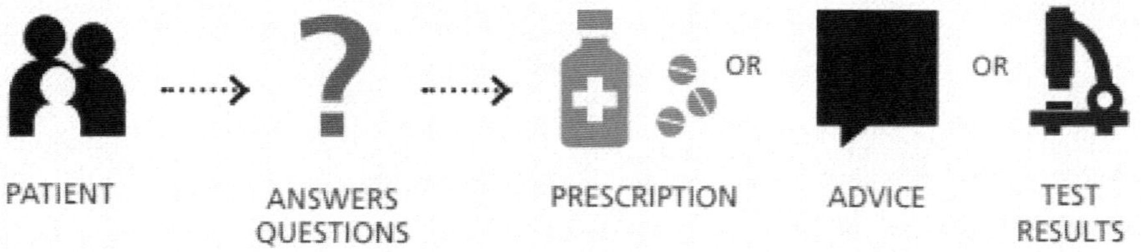

3 Need to request test results, sick note, referral letter or medical report?

The patient will fill in a form, explain what they want (e.g. sick note, GP letter) and explain why.

The practice will receive a PDF of the request and deal with it accordingly. At Hedge End, the practice manager and organisational manager receive the requests and pass them on to the appropriate person, whether GP, nurse practitioner or administrative staff.

[그림 14] 이컨설트 활용 방법

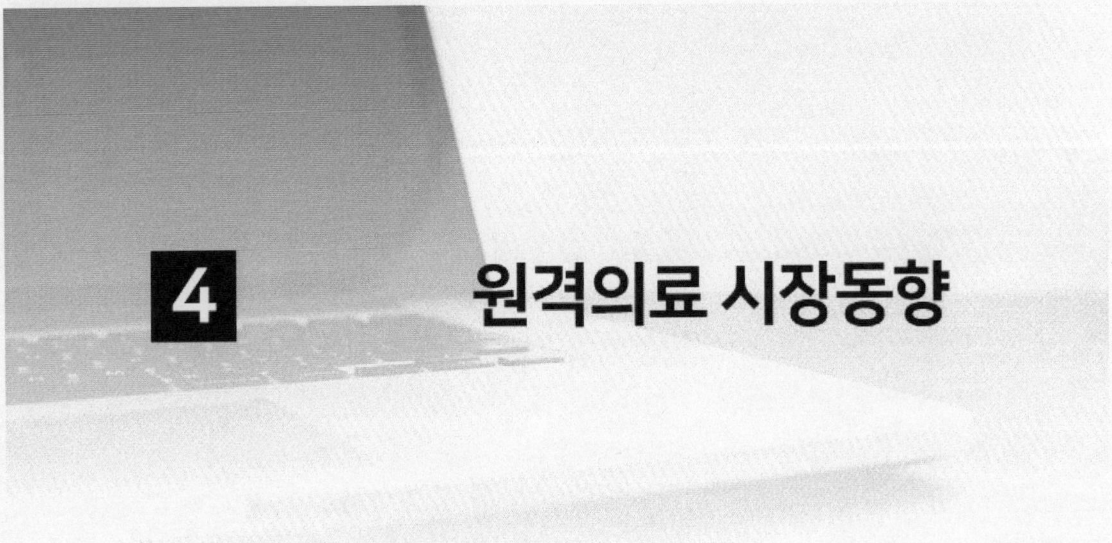

4 원격의료 시장동향

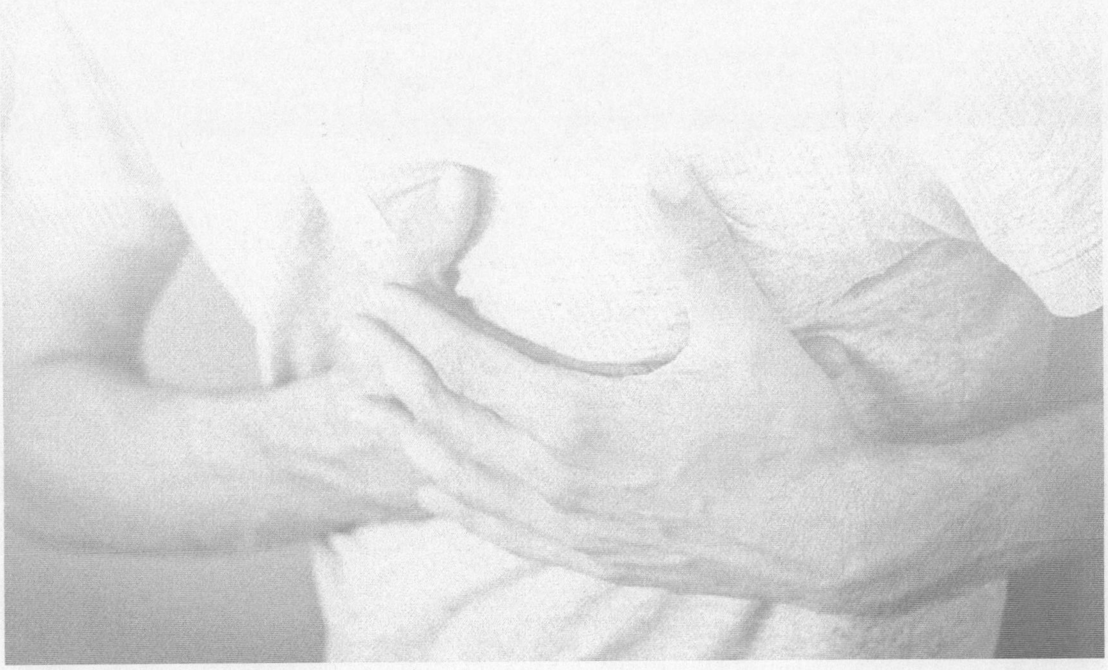

4. 원격의료 시장 동향

가. 세계 동향

시장조사기관 Statista에 따르면, 글로벌 원격의료 시장은 2019년 460억 달러에서 2026년 1,760억 달러로 연평균 21.3%의 높은 성장이 전망된다. 원격의료는 장소의 제약 없이 빠른 의료서비스를 제공받을 수 있다는 점이 특징적이다. 따라서 의료 자원이 부족한 중국과 의료 접근성이 낮은 미국 등의 국가에서 원격의료에 대한 수요가 매우 높다.[12)]

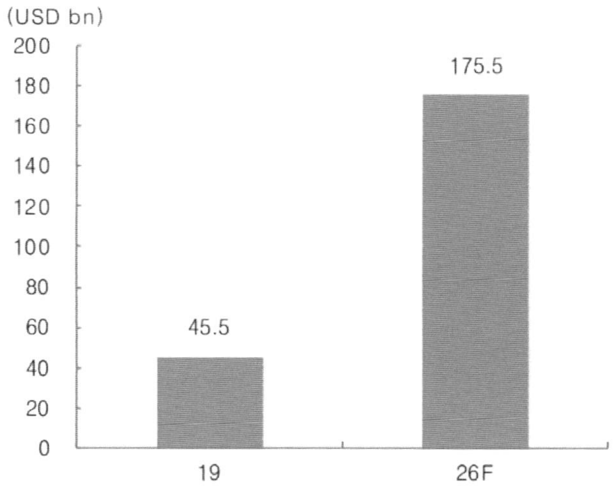

[그림 16] 세계 원격의료 시장 전망

시장조사기관 마켓앤마켓에 따르면, 전 세계 원격의료 시장은 2019년 254억 9,000만 달러에서 연평균 성장률 16.9%로 증가하여, 2025년에는 556억 1,000만 달러에 이를 것으로 전망된다.[13)]

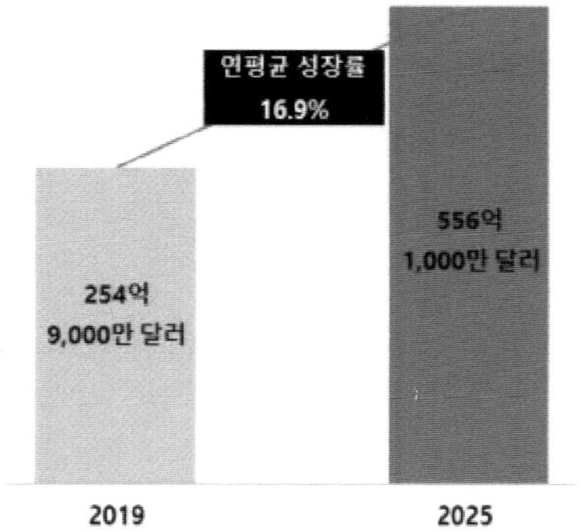

[그림 17] 글로벌 원격의료 시장 규모 및 전망

12) VI. 원격의료: 코로나 시대의 새로운 의료 트렌드, 대신증권
13) 원격의료 시장, 연구개발특구진흥재단, 2020.12

또한, 마켓앤마켓에 따르면, 전 세계 원격 환자 모니터링 시장도 2020년 223억 4,860만 달러에서 연평균 성장률 38.3%로 증가하여, 2025년에는 1,131억 1,080만 달러에 이를 것으로 전망된다.[14)]

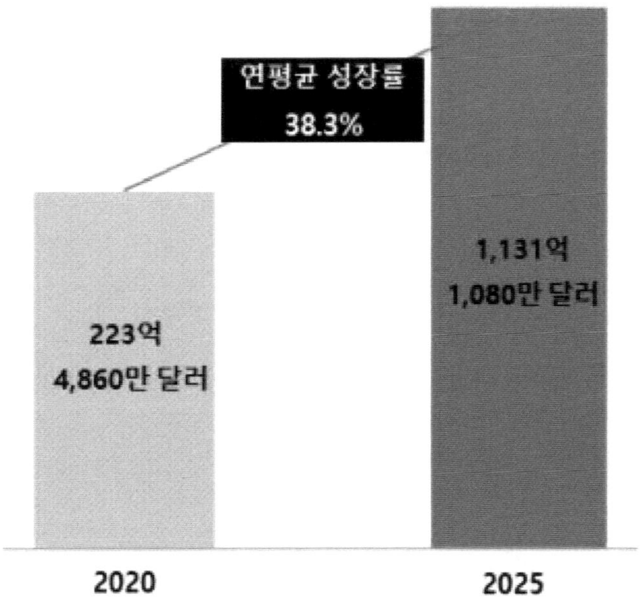

[그림 18] 글로벌 원격 환자 모니터링 시장 규모 및 전망

코로나 19 확산으로 인한 확진자의 폭발적인 급증으로 의료시스템이 마비되고 전염에 대한 공포로 환자들이 내원을 기피하는 현상이 발생했다. 또한, 다수 국가에서 외출 금지, 사회적 거리 두기가 시행되며 안전하게 의료서비스를 받을 수 있는 원격의료에 대한 수요가 급증하였다.

코로나 19로 인해 원격의료의 기반이 되는 온라인 플랫폼 이용량이 빠르게 증가했다. 코로나 19가 미국 전역에 확산된 4월, 원격의료 기업 Allyhealth의 원격 응급진료 이용률은 직전 2주 대비 약 150% 증가하였으며, 미국 원격의료 선도업체인 텔라닥은 전월 동기 대비 약 100% 증가한 일평균 2만 건의 원격진료 서비스를 제공했다.

중국에서도 코로나 19 사태 이후 온라인 의료 상담 플랫폼의 사용 증가 현상이 나타났다. Bain&Company에 따르면, 2020년 1월 중국 핑안굿닥터의 신규 유저와 방문자는 전월 대비 각각 900%, 800% 증가했다. 또한, 중국 원격의료 어플리케이션 딩상위안의 원격의료 상담 수와 원격의료 이용자도 전월 대비 각각 134.9%, 215.3%로 증가하며 원격의료 이용은 큰 폭으로 증가했다.

14) 원격 환자 모니터링 시장, 연구개발특구진흥재단, 2021.03

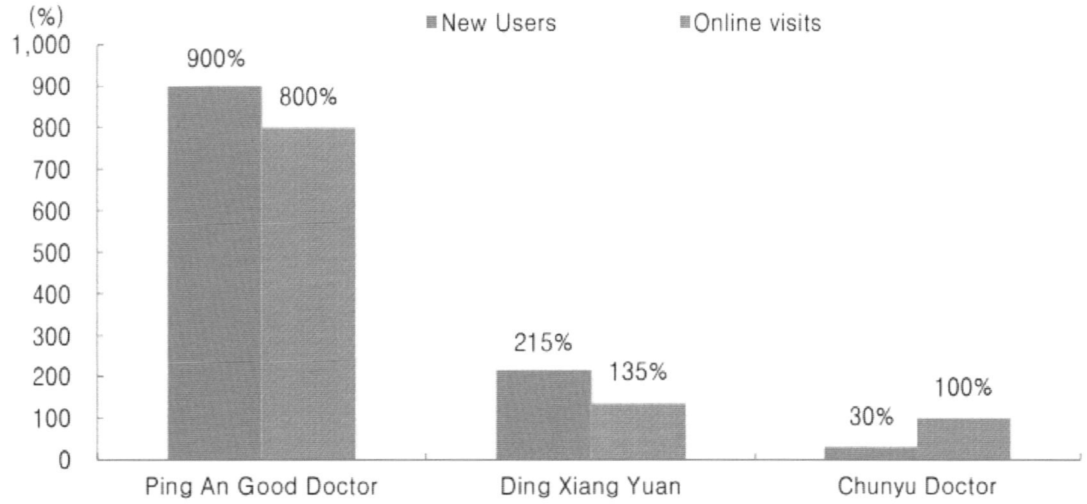

[그림 19] 코로나 19로 중국 원격의료 플랫폼 사용 증가

Grand View Research에 따르면, 원격의료 제품과 서비스를 포함하는 글로벌 시장 규모는 연평균 성장률 15.1%로 성장하여 2019년 414억 달러에서 2027년 1,551억 달러로 증가할 전망이다.[15)]

15) 비대면 시대, 비대면 의료 국내외 현황과 발전방향, KISTEP Issue Paper, 2020

1) 세부항목별 시장 규모[16)]

전 세계 원격의료 시장은 구성요소에 따라 소프트웨어 서비스 및 하드웨어로 분류할 수 있다. 소프트웨어 서비스 시장은 2020년 182억 5,920만 달러에서 연평균 성장률 16.2%로 증가하여, 2025년에는 386억 5,310만 달러에 이를 것으로 전망되며, 하드웨어 시장은 2020년 72억 3,090만 달러에서 연평균 성장률 18.6%로 증가하여, 2025년에는 169억 5,550만 달러에 이를 것으로 전망된다.

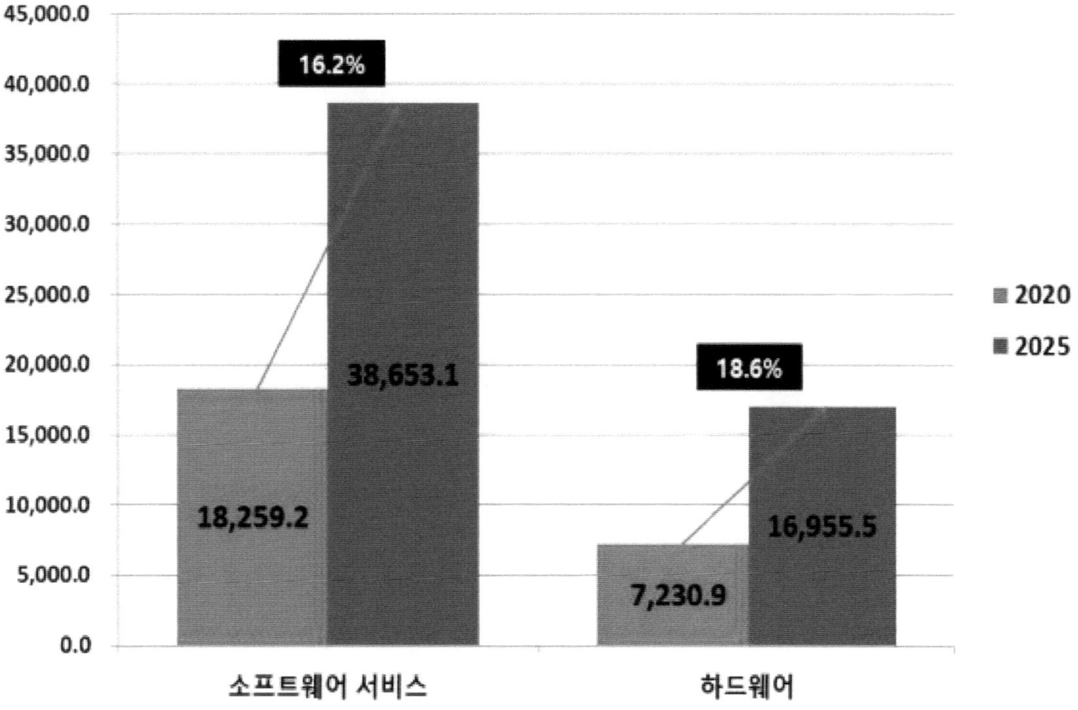

[그림 20] 글로벌 원격의료 시장의 종류별 시장 규모 및 전망 (단위: 백만 달러)

전 세계 원격의료용 소프트웨어 서비스 시장은 구성요소에 따라, 원격 환자 모니터링, 실시간 상호작용 및 축적 전송(STORE-AND-FORWARD)으로 분류할 수 있다. 원격 환자 모니터링 시장은 2020년 105억 5,620만 달러에서 연평균 성장률 15.9%로 증가하여, 2025년에는 221억 2,200만 달러에 이를 것으로 전망되며, 실시간 상호작용 시장은 2020년 57억 8,450만 달러에서 연평균 성장률 19.1%로 증가하여, 2025년에는 138억 4,690만 달러에 이를 것으로 전망된다. 마지막으로 축적 전송 시장은 2020년 19억 1,850만 달러에서 연평균 성장률 6.9%로 증가하여, 2025년에는 26억 8,420만 달러에 이를 것으로 전망된다.

16) 원격의료 시장, 연구개발특구진흥재단, 2020.12

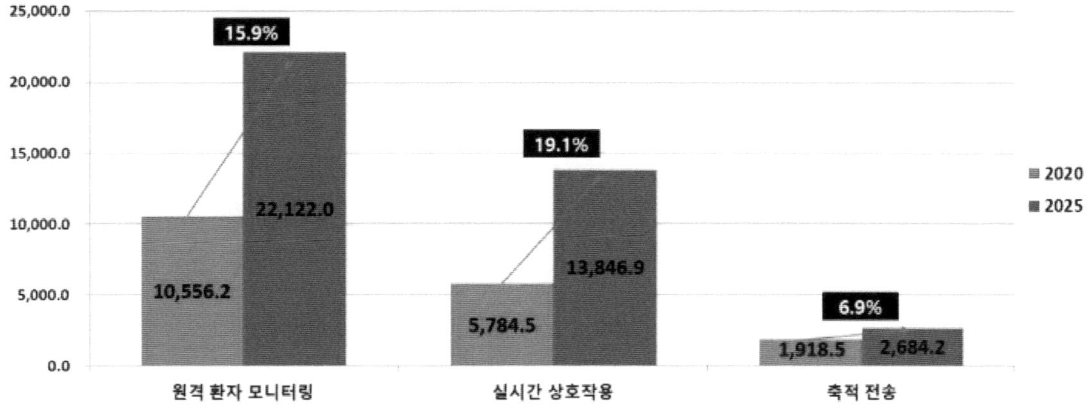

[그림 21] 글로벌 원격의료용 소프트웨어 서비스 시장의 구성요소별 시장 규모 및 전망
(단위: 백만 달러)

전 세계 원격의료 시장은 제공 형태에 따라 클라우드 기반 및 온프레미스(On-premise)로 분류된다.

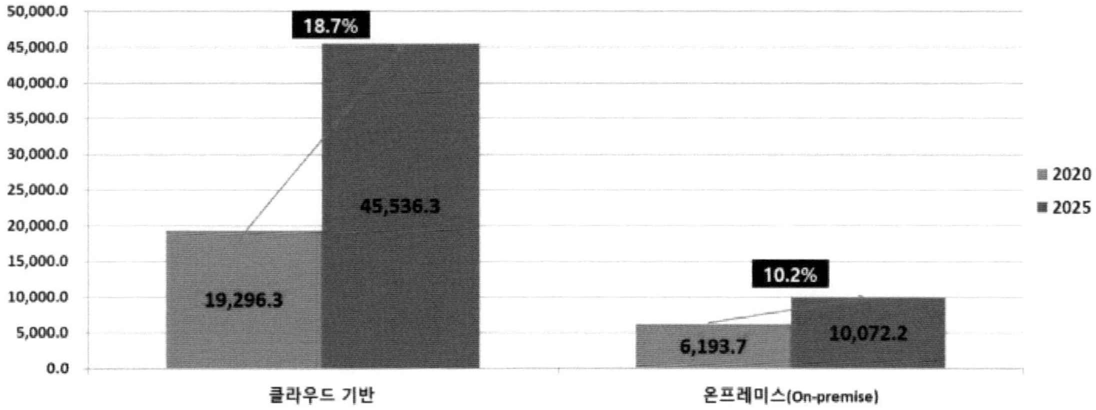

[그림 22] 글로벌 원격의료 시장의 제공 형태별 시장 규모 및 전망
(단위: 백만 달러)

클라우드 기반 시장은 2020년 192억 9,630만 달러에서 연평균 성장률 18.7%로 증가하여, 2025년에는 455억 3,630만 달러에 이를 것으로 전망되며, 온프레미스(On-premise) 시장은 2020년 61억 9,370만 달러에서 연평균 성장률 10.2%로 증가하여, 2025년에는 100억 7,220만 달러에 이를 것으로 전망된다.

전 세계 원격의료 시장은 용도에 따라 원격 방사선과, 원격 정신과, 원격 뇌졸중 치료, 원격 ICU(Intensive Care Unit), 원격 피부과, 원격 의료 상담 및 기타 용도로 분류할 수 있다. 원격 방사선과 시장은 2020년 58억 1,780만 달러에서 연평균 성장률 15.8%로 증가하여, 2025년에는 121억 3,930만 달러에 이를 것으로 전망되며, 원격 정신과 시장은 2020년 45억 2,090만 달러에서 연평균 성장률 16.8%로 증가하여, 2025년에는 98억 4,410만 달러에 이를 것으로 전망된다. 다음으로 원격 뇌졸중 치료 시장은 2020년 36억 4,730만 달러에서 연평균

성장률 18.4%로 증가하여, 2025년에는 84억 8,230만 달러에 이를 것으로 전망되며, 원격 ICU 시장은 2020년 31억 2,290만 달러에서 연평균 성장률 18.0%로 증가하여, 2025년에는 71억 5,610만 달러에 이를 것으로 전망된다. 원격 피부과 시장은 2020년 31억 1,910만 달러에서 연평균 성장률 16.4%로 증가하여, 2025년에는 66억 5,070만 달러에 이를 것으로 전망되며, 원격 의료 상담 시장은 2020년 30억 360만 달러에서 연평균 성장률 16.0%로 증가하여, 2025년에는 63억 380만 달러에 이를 것으로 전망된다. 마지막으로 기타 용도 시장은 2020년 22억 5,840만 달러에서 연평균 성장률 17.4%로 증가하여, 2025년에는 50억 3,220만 달러에 이를 것으로 전망된다.

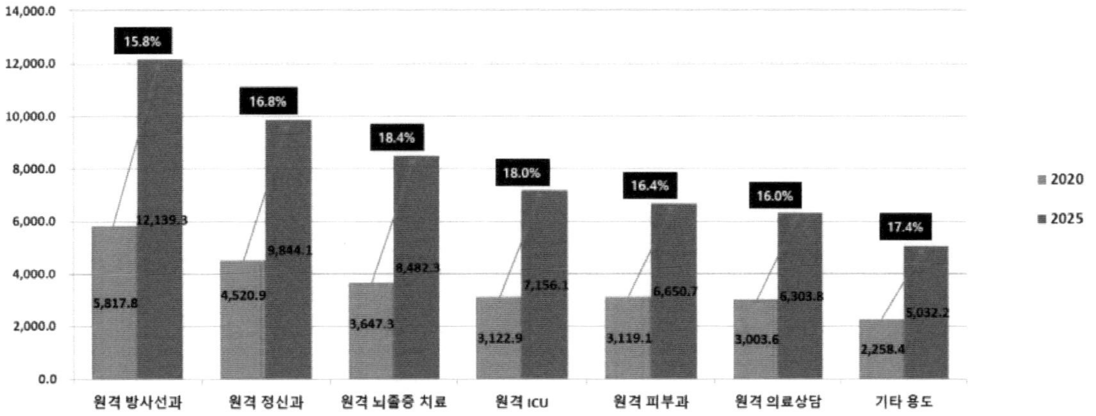

[그림 23] 글로벌 원격의료 시장의 용도별 시장 규모 및 전망
(단위: 백만 달러)

전 세계 원격보건 및 원격의료 시장은 최종 사용자에 따라, 의료제공자, 보험자, 환자 및 기타 최종 사용자로 분류할 수 있다.

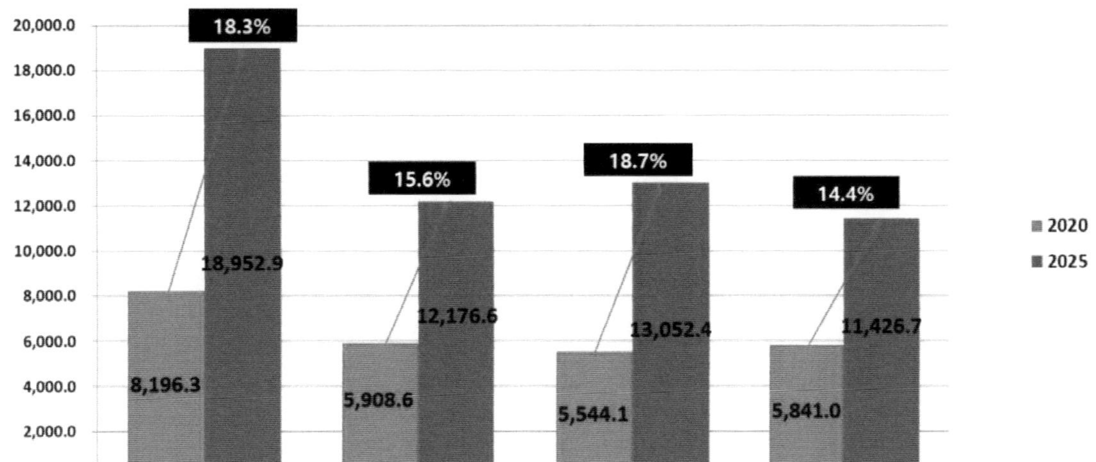

[그림 24] 글로벌 원격의료 시장의 최종 사용자별 시장 규모 및 전망
(단위: 백만 달러)

의료제공자 시장은 2020년 81억 9,630만 달러에서 연평균 성장률 18.3%로 증가하여, 2025년에는 189억 5,290만 달러에 이를 것으로 전망되며, 보험자 시장은 2020년 59억 860만 달러에서 연평균 성장률 15.6%로 증가하여, 2025년에는 121억 7,660만 달러에 이를 것으로 전망된다. 다음으로, 환자 시장은 2020년 55억 4,410만 달러에서 연평균 성장률 18.7%로 증가하여, 2025년에는 130억 5,240만 달러에 이를 것으로 전망되며, 마지막으로 기타 최종 사용자 시장은 2020년 58억 4,100만 달러에서 연평균 성장률 14.4%로 증가하여, 2025년에는 114억 2,670만 달러에 이를 것으로 전망된다.

2) 지역별 시장 규모[17)]

전 세계 원격의료 시장을 지역별로 살펴보면, 2019년을 기준으로 북미지역이 61.4%로 가장 높은 점유율을 나타냈다.

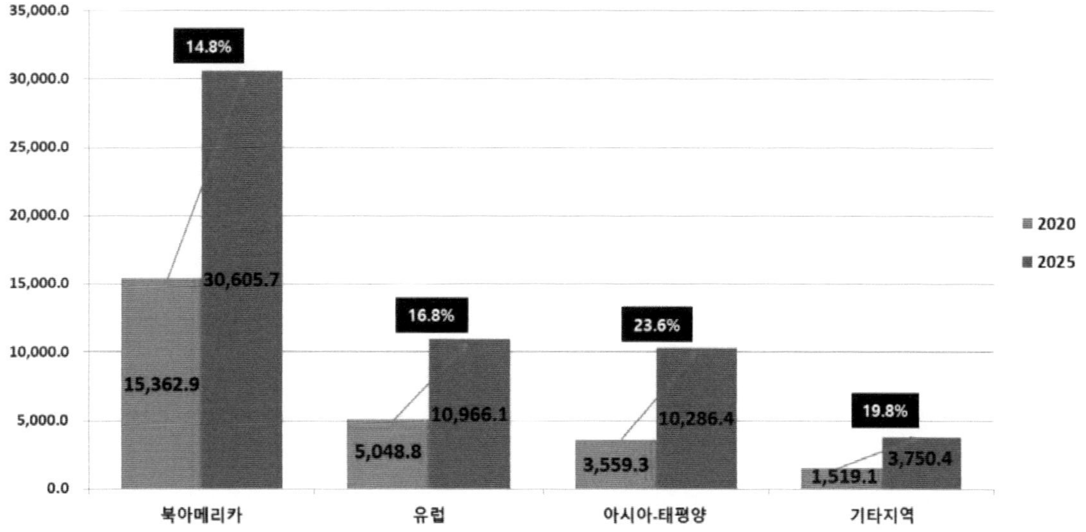

[그림 25] 글로벌 원격의료 시장의 지역별 시장 규모 및 전망
(단위: 백만 달러)

북아메리카 지역은 2020년 153억 6,290만 달러에서 연평균 성장률 14.8%로 증가하여, 2025년에는 306억 570만 달러에 이를 것으로 전망되며, 유럽지역은 2020년 50억 4,880만 달러에서 연평균 성장률 16.8%로 증가하여, 2025년에는 109억 6,610만 달러에 이를 것으로 전망된다. 다음으로 아시아-태평양 지역은 2020년 35억 5,930만 달러에서 연평균 성장률 23.6%로 증가하여, 2025년에는 102억 8,640만 달러에 이를 것으로 전망되며, 마지막으로 기타 지역은 2020년 15억 1,910만 달러에서 연평균 성장률 19.8%로 증가하여, 2025년에는 37억 5,040만 달러에 이를 것으로 전망된다.

17) 원격의료 시장, 연구개발특구진흥재단, 2020.12

3) 국가별 동향

가) 미국

원격의료는 미국 의료체계의 고질적인 문제 해결의 대안으로 주목받고 있다. 미국 헬스케어 시스템은 베이비부머 세대 은퇴로부터 촉발된 고령 인구 확대 흐름 속에서 의사 부족 현상과 높은 의료비용 대비 낮은 서비스 품질이라는 문제를 안고 있다.

2018년 기준 미국 인구 1,000명당 의료진은 2.69명으로 OECD 평균 2.9명에 미치지 못한다. 이는 유럽지역의 선진국인 독일(4.25명), 이탈리아(3.99명), 프랑스(3.17명) 대비 낮은 수준이다. 이러한 의사 부족 현상은 오바마 케어로 진료대상이 급증한 반면 의료진 공급 확대는 제한적이기 때문으로 보이며, 향후 의료진 부족 현상 심화도 전망된다.

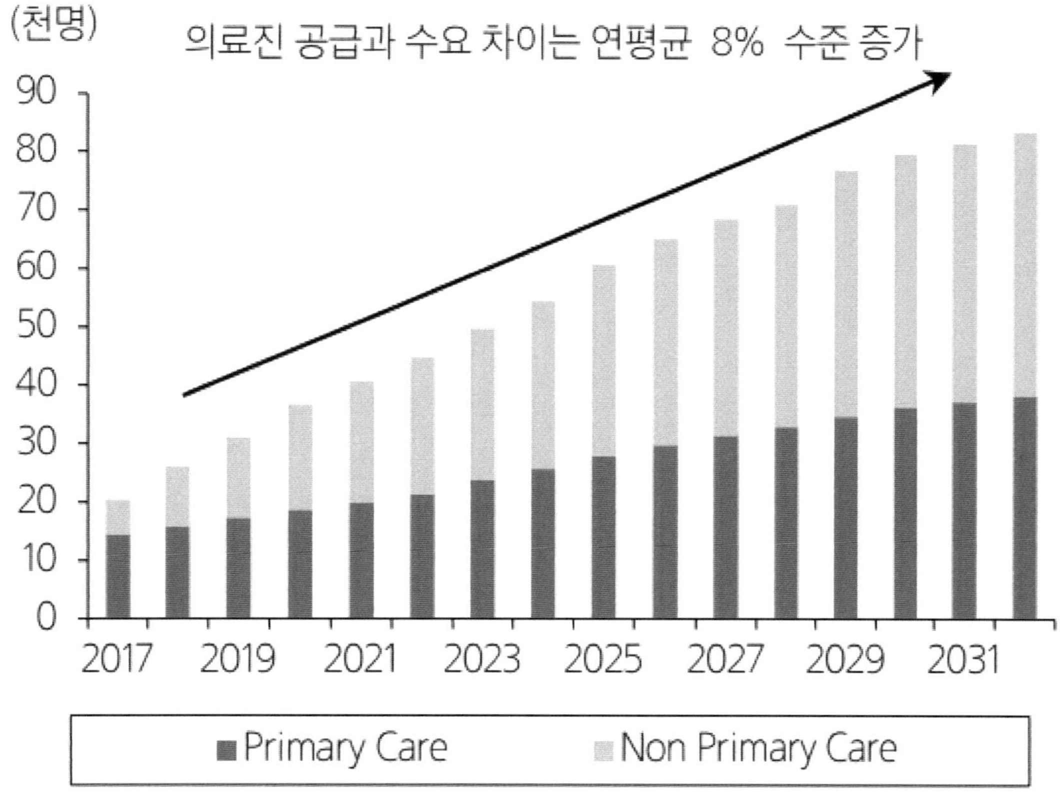

[그림 26] 미국 의료진 부족 전망

AAMC(Association of American Medical Colleges)는 2032년 미국 내 부족 의료진(수요와 공급 차이)을 4.7만 명에서 12.2만 명 수준으로 전망했다(평균 8.3만 명). 이는 2019년(평균 3.1만 명) 대비 연평균 8%씩 증가해 2배 이상 확대를 가정한 전망치다. 연도별 전망 범위 평균값을 기반으로 Primary Care는 3.8만 명, Specialty는 4.5만 명 수준의 의료진 부족을 예상했다.

미국의 1인당 의료비용은 1만 586달러로 OECD 회원국 중 가장 높다. 이는 OECD 평균(3,994달러) 대비 2.7배에 달한다. GDP 대비 경상 의료비 비중도 17.1%로 가장 높다(OECD 평균 8.8%). 이는 미국 헬스케어 시스템 곳곳에 자리 잡은 자유경쟁 요소 영향이 크다. 건강보험이 없는 사람(Uninsured) 비중도 상당(2018년 기준 8.9%)하며 보유 건강보험 커버리지 외 의료서비스를 받는 경우 비용이 기하급수적으로 상승한다. 결국, 의료진 부족과 연계되어 비용 대비 제공받는 서비스는 부족하다는 비판으로 이어진다.

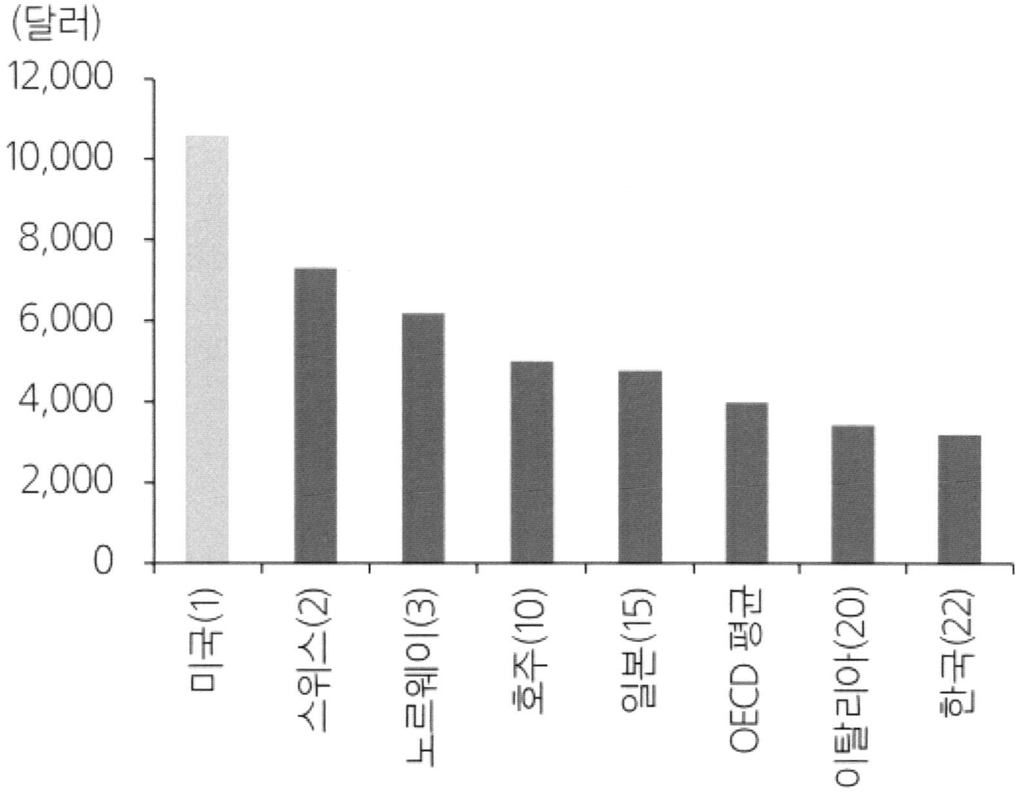

[그림 27] OECD 주요국 1인당 의료 관련 지출 비교

원격의료는 의료진 자원의 효율적인 분배를 통해 의사 부족 현상을 해소할 수 있다. 건강보험 기업 UnitedHealth에 따르면 응급실 진료의 25%는 원격의료로도 충분히 대응 가능한 질병이었다. 원격의료를 통해 진료 시간이 단축될 수 있어 자연스럽게 의료서비스 퀄리티의 개선도 기대할 수 있다. 또한, 오프라인 진료 대비 낮은 진료비용을 통해 의료비용 문제를 해결할 수 있다.

UnitedHealth가 조사한 평균 원격의료 진료비용은 $50 수준으로 평균 Urgent Care 진료비용($130) 및 응급실 진료비용($740) 대비 상당히 저렴하다. 원격의료의 비용 감소 효과가 명확하기 때문에 기업이나 보험사의 확대 도입 유인이 충분하고 정책적인 지지도 받을 수 있다. 특히 약가 인하를 포함한 트럼프 행정부 헬스케어 정책들은 궁극적으로 의료비용 감소를 목표로 하고 있는데, 이는 원격의료 도입과 목표하는 바가 일치한다.[18]

18) Teladoc Health, 삼성증권, 2020.05.08

시장조사기업 IBIS World에 따르면 미국의 원격의료 서비스 시장은 지난 5년간 연평균 34.7%의 폭발적 성장을 지속해 2019년 시장 규모가 24억 달러에 달했다. 통신 및 의료기술의 발전으로 웨어러블 모니터링 장치, 디지털화된 의료용 이미지 등이 개발되며 원격의료 서비스 시장의 성장이 촉진되고 있으며, 막대한 의료비용, 의료서비스 인력 부족, 만성질환을 겪는 고령 인구의 증가 등 미국 헬스케어 시스템의 문제 해결을 위해 원격의료 서비스가 더욱 주목받고 있다.19)

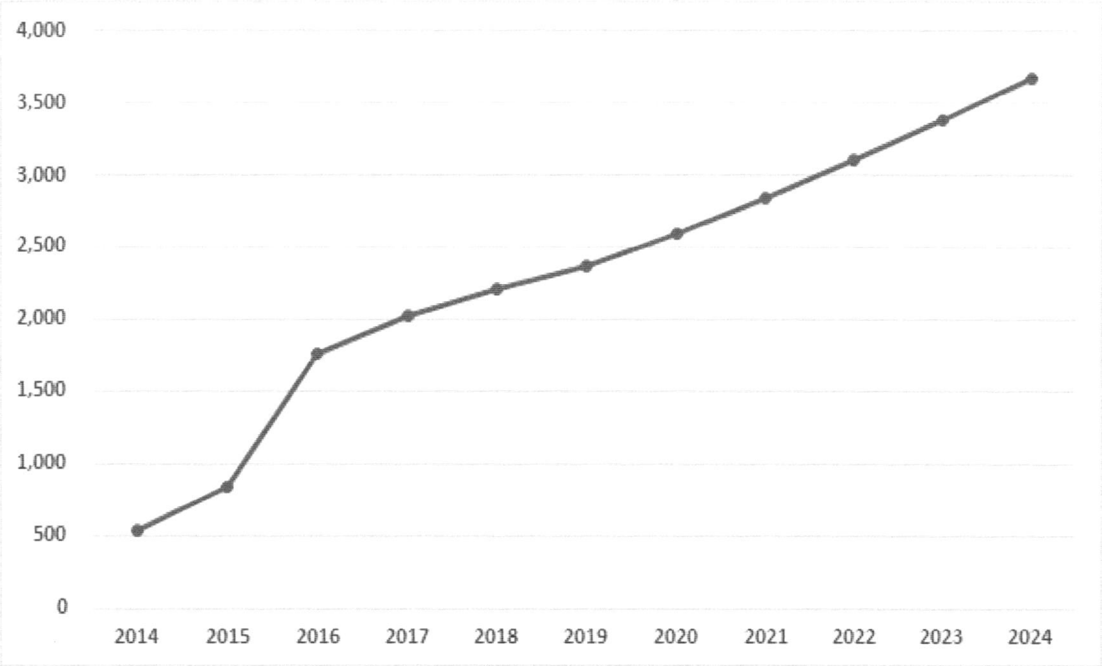

[그림 28] 미국 원격의료 서비스 시장 규모 및 전망 (단위: 백만 달러)

19) 미국 원격진료 서비스 시장동향, 대한무역투자진흥공사, 2020.03.26

나) 중국

중국 의료의 가장 큰 문제는 의료 쏠림현상이 심화되고 있다는 것이다. 중국은 크게 병원을 1급~3급으로 구분하는데, 8%에 불과한 3급 병원에 전체 의료수요의 50%가 몰리고 있다. 이로 인해 3시간을 기다려 평균 8분 정도밖에 진료를 받지 못하고 있다.

의료 쏠림현상의 가장 근본적인 이유는 2가지로 ① 의료 자원 부족과 ② 민영 병원에 대한 낮은 신뢰 때문이다. OECD 통계에 따르면, 중국의 1,000명당 의사 수는 2.0명으로 한국(2.3명), 미국(2.6명), 영국(2.8명) 등 선진국은 물론 OECD 회원국 평균인 3.4명도 하회하는 수준이다. 더욱이 중국에서 의사는 우대받거나 선망받는 직업이 아니다. 대부분 고급인력들은 창업이나 IT 관련된 직종에 종사하기를 원한다.

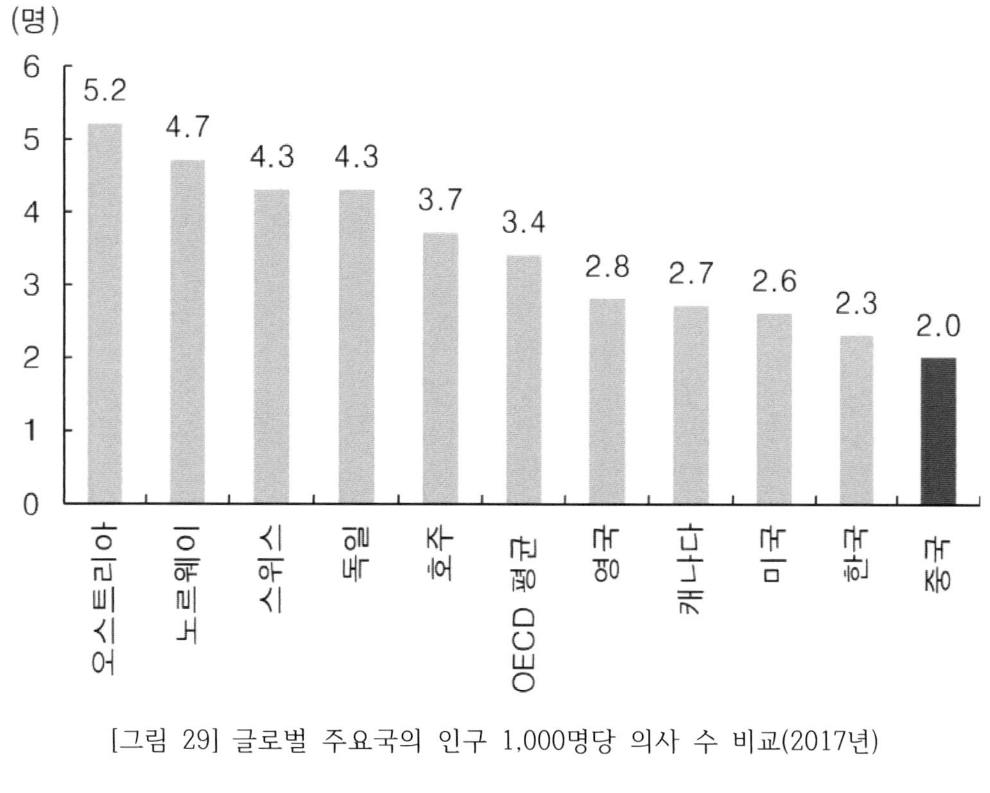

[그림 29] 글로벌 주요국의 인구 1,000명당 의사 수 비교(2017년)

중국 내 의사의 임금 수준도 낮은 수준이다. 2014년 중국 국가통계국 발표에 따르면 중국 의사 평균 월급이 85만 원 수준이었다. 그러다 보니 의료에 대한 신뢰도가 전반적으로 낮다. 의료 자원이 절대적으로 부족한 상황에서 민영 병원에 대한 낮은 신뢰로 인해 큰 병원과 공립 병원으로 의료 수요가 몰리는 것이다. 이런 상황에서 중국의 의료 관련 지출은 연평균 9.4% 상승하여 2026년에는 약 11.4조 위안에 이를 것으로 추정되고 있다.

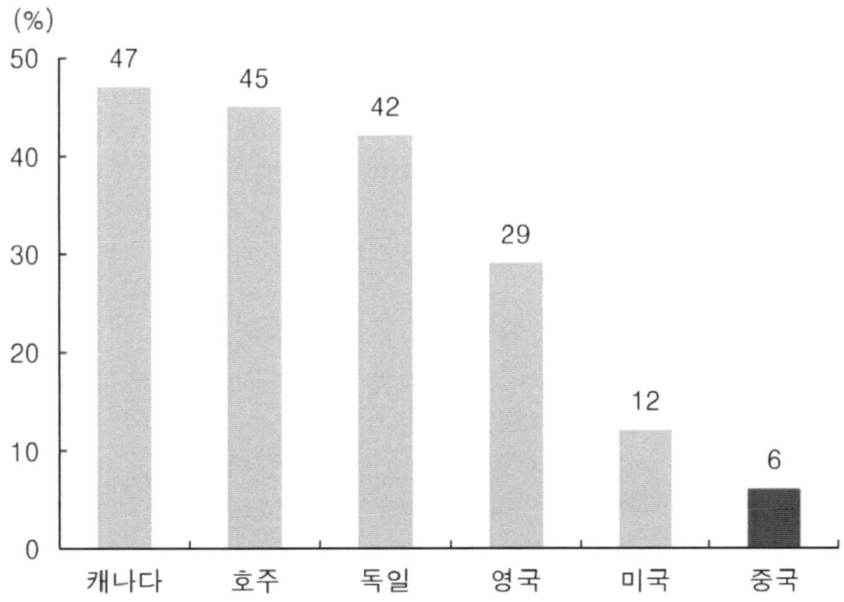

[그림 30] 글로벌 주요국의 전체 직업 의사 중 일반의 비중 비교(2017년)

중국에서는 기존 의료 자원을 최대한 효율적으로 활용하는 것이 현재로서는 최선의 대안으로 보인다. 의료인력 육성은 통상 10년 이상이 소요되는 점에서 빠르게 공급하기가 어렵고, 직업 선호도를 고려할 때 대규모로 수요가 몰리는 것을 기대하는 것도 어렵기 때문이다. 이로 인해 중국은 분급 진료와 원격의료를 권장하고 있다.

분급 진료는 일종의 의료전달체계로 경증 환자는 1급, 중증환자는 3급 병원을 이용하도록 하여 환자를 분산시키는 것이다. 분급 진료와 원격의료는 경증 환자 진료에 활용될 수 있어 의료수요를 분산시키고, 의료 자원의 효율성을 극대화시키는데 도움을 줄 수 있다.

분류	역할	병상 수	병상당 의료인력	기타
3급 병원	• 응급, 중증, 난치성 질환 대상 • 학술연구가 필요한 분야 연구	500개 이상	의사 1.03명 간호사 0.4명	• 응급실, 중환자실 필요 • 모든 진료과목
2급 병원	• 회복기, 안정기 환자 대상 • 전문 진료가 필요한 질환 대상	100~499개	의사 0.88명 간호사 0.4명	• 응급실 불필요
1급 병원	• 일반적 초진, 진단이 분명한 일반 질환 대상 • 만성질환자 (고혈압, 당뇨병) 관리 • 재활 및 공공 위생 (예방접종 포함) 담당	20~99개	의사 3명 간호사 5명	• 내과, 외과, 산부인과 • 엑스레이 필요

[표 15] 중국 분급 진료 시스템 세부내용

중국에서 원격진료는 현재 전체 진료의 10% 정도를 차지하고 있는 것으로 추정되며 2025년 전체 진료의 26%까지 상승하여 948억 위안 규모로 성장할 것으로 예상된다.

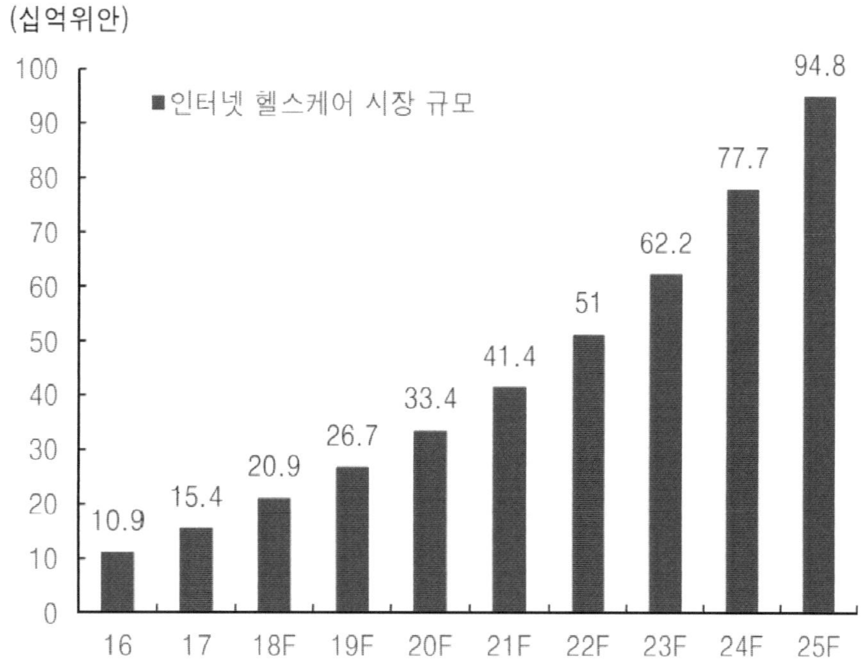

[그림 31] 중국 원격의료 시장 규모

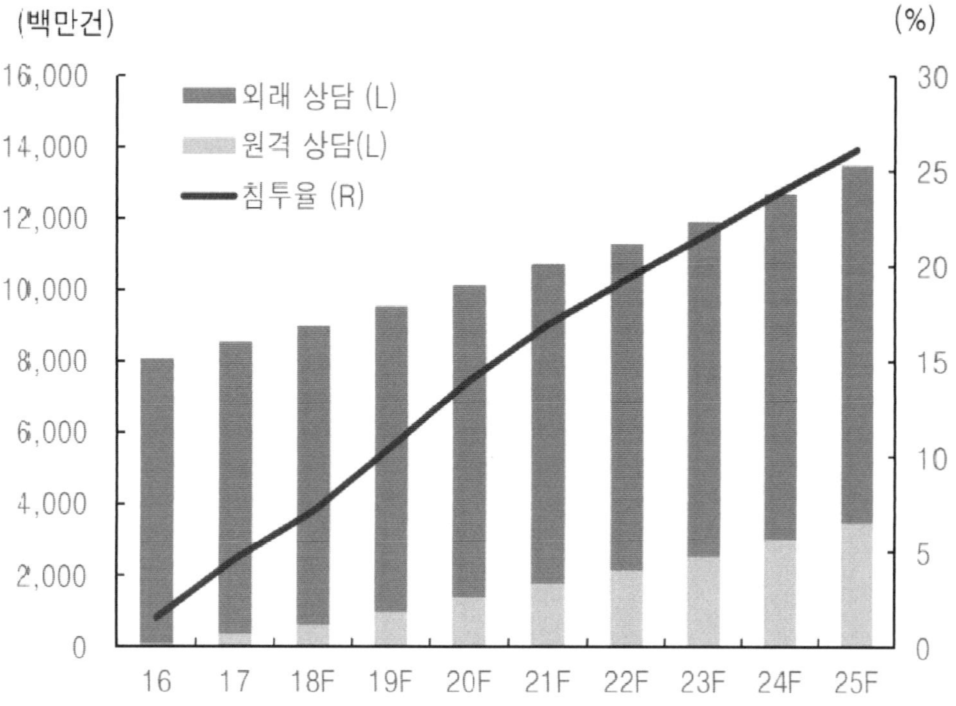

[그림 32] 중국 원격의료 침투율 추이

나. 국내 동향[20]

현재 국내의 원격의료 산업이 규제에 막혀 있어, 디지털 헬스 산업 시장을 통해 향후 원격의료 산업을 전망해보고자 한다. 국내 디지털 헬스케어 시장은 2018년 1.9조 원에서 연평균 약 16.13%의 성장률을 보이며 2026년 약 6.3조에 달할 것으로 전망된다. 또한, 코로나 19 확산을 계기로 디지털 헬스케어 시장 성장은 대기업을 중심으로 급성장할 것으로 전망된다.[21]

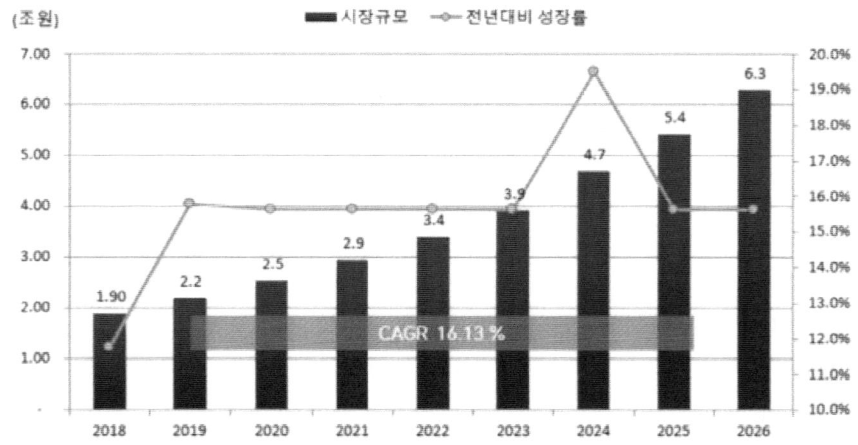

[그림 33] 국내 디지털 헬스케어 시장 규모 및 전망

세계 디지털 헬스 산업 전망치에 대한 동의 정도는 대부분 높게 나타났지만, 국내 전망은 세계 전망치와 비교 시 다소 동일하지 않게 움직인다고 전망되었다. 이는 국내 법과 제도가 산업을 활성화하는 방향으로 설정되어 있지 않기 때문이다. 세계 디지털 헬스 산업 성장률을 토대로 하여 전문가들은 국내 디지털 헬스 산업의 성장률을 15.3%로 전망했으며, 모바일 헬스와 하드웨어 분야는 세계 성장률보다 높게 전망했다.

구분	2020	2021	2022	2023	2024	2025	2026	2027	성장률
하드웨어	45 (30%)	57 (29%)	70 (29%)	85 (28%)	99 (28%)	112 (28%)	125 (27%)	138 (27%)	20.5
소프트웨어	30 (20%)	38 (20%)	48 (20%)	60 (20%)	71 (20%)	81 (20%)	91 (20%)	101 (20%)	18.9
서비스	76 (50%)	97 (51%)	124 (51%)	155 (52%)	184 (52%)	212 (52%)	240 (53%)	269 (53%)	16.6
총계	152 (100%)	193 (100%)	243 (100%)	302 (100%)	355 (100%)	406 (100%)	456 (100%)	508 (100%)	18.8

[표 16] 국내 디지털 헬스 산업 분야별 비중

20) - 글로벌 DNA동향 : 디지털 헬스케어 -, ICT Brief, 2020.06.26
21) 헬스케어 서비타이제이션(Servitization) 기술 및 시장동향, KEIT PD ISSUE Report, 2021

구분	세계 성장률	국내 디지털 산업 성장률(예상, 평균값)			
		전체	학계	의료계	산업계
디지털 헬스 (전체)	18.8%	15.3%	11.1%	18.0%	16.8%
텔레헬스케어	30.9%	14.9%	8.2%	19.0%	17.6%
모바일 헬스	16.6%	18.8%	12.3%	23.0%	21.0%
헬스 분석	18.9%	17.4%	13.7%	22.6%	15.8%
디지털 헬스시스템	20.5%	13.7%	11.2%	22.0%	7.8%

[표 17] 국내 디지털 헬스 산업의 성장률(예상)

국내 디지털 헬스 산업의 경쟁력은 세계 최고 수준과 비교했을 때, 9점 만점에 5.4점으로 중간 수준으로 평가되었다. 국내 디지털 헬스 기술 수준은 미국을 100점으로 놓았을 때, 77.5점, 산업 경쟁력은 100점 만점으로 환산했을 때, 60점이었다.[22]

우리나라의 경우 우수한 의료인력, 세계적인 의료 인프라, 뛰어난 디지털 인프라 등 디지털 헬스 산업이 성장할 수 있는 유리한 토대가 마련되어있음에도 불구하고, 국내 디지털 헬스 산업의 경쟁력은 미국·중국 등 디지털 헬스 선도 국가들과 비교하면 미약한 수준이다.

국내 디지털 헬스 산업의 성장 장애 요인으로 편리한 의료접근성과 우수한 의료 인프라, 디지털 헬스 관련 각종 규제, 진단·진료 중심의 의료 수가체계 등이 지적된다.

다른 국가 대비 우리나라의 의료서비스 접근성/편리성이 높고 의료비 부담이 적은 편인데, 오히려 이런 장점이 건강관리·질병 예방에 대한 국민들의 관심(디지털 헬스 수요)을 감소시키는
결과를 초래한다.

대표적 디지털 헬스 제한 규제로 업계에서는 의료 빅데이터 관련 규제, 원격의료 규제, 소비자 의뢰(DTC) 유전자 검사 규제 등을 지적하고 있으며, 글로벌 100대 디지털 헬스 스타트업 중 63개 기업(75%)이 우리나라에서 규제로 인해 디지털 헬스 사업을 추진할 수 없는 상황이다.

22) 디지털 헬스 산업 분석 및 전망 연구, 한국보건산업진흥원, 2020

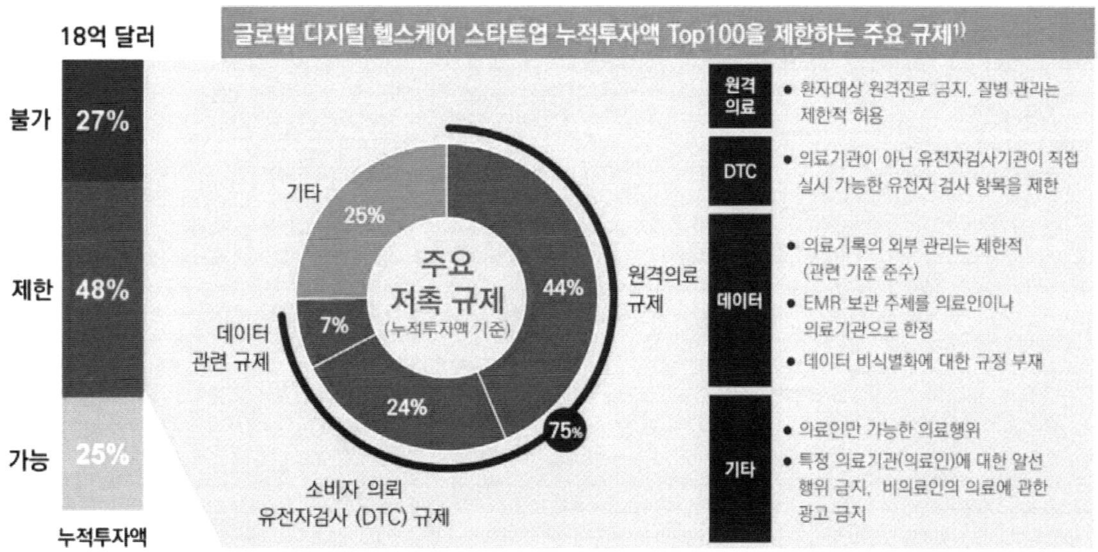

[그림 34] 글로벌 디지털 헬스 스타트업 사업을 제한하는 국내 주요 규제

진단·진료 중심의 국내 의료 수가체계는 건강관리/질병 예방/사후관리를 포함하고 있지 않아, 수가를 지원받지 못하는 디지털 헬스 신기술은 소비자에게 외면받을 가능성이 높고, 의료기관 입장에서도 의료 수입에 긍정적이지 않은 디지털 헬스 신기술을 적극적으로 도입할 동기가 부족하다.

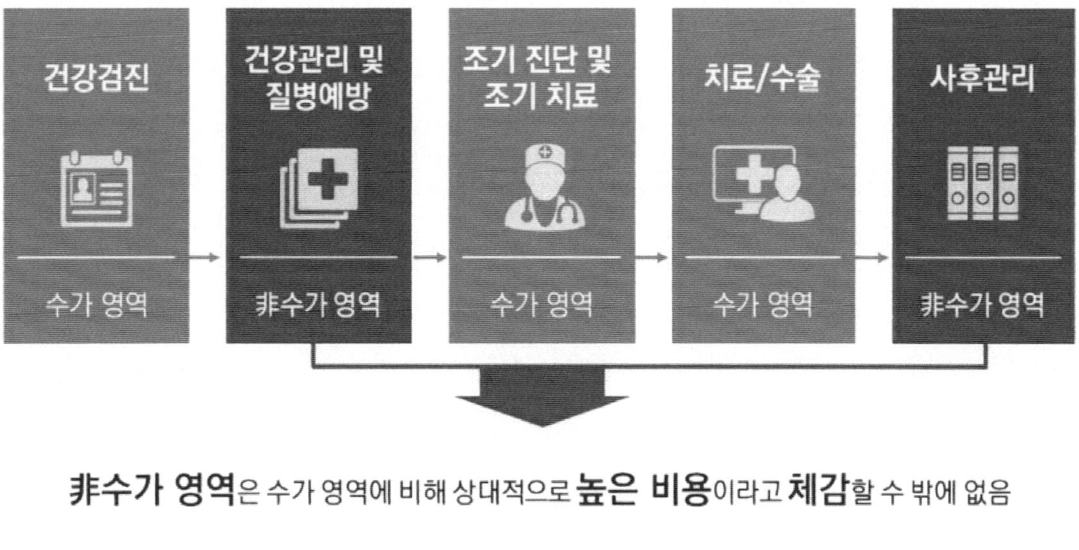

[그림 35] 진단·진료 중심의 우리나라 의료 수가체계

5 원격의료 기술동향

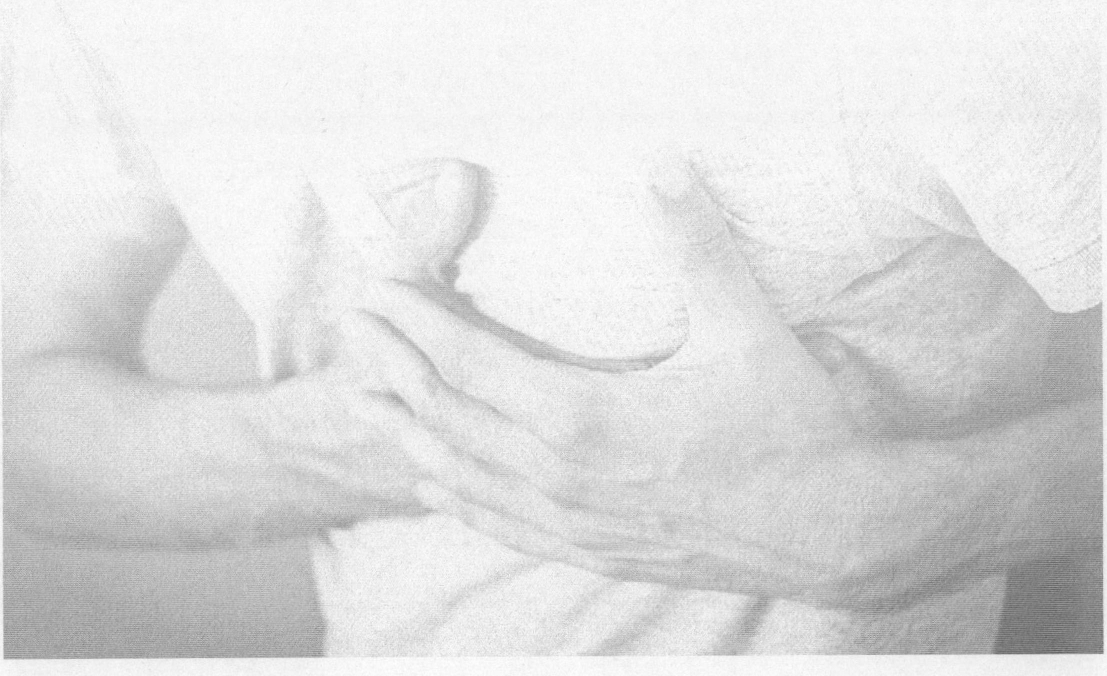

5. 원격의료 기술 동향

원격의료에 필요한 기술과 인프라는 네트워크와 데이터, 의료기기 중심 기술로, ICT 기술의 발달과 수술 로봇을 포함한 의료기기의 발전으로 폭넓은 원격의료가 가능해지고 있다.[23]

기술과 인프라	기술 발전에 따른 변화
네트워크	5G와 향후 차세대 인터넷을 통해 빠르고 안전한 네트워크 보장
대용량 데이터 서버	클라우드 서버를 통한 안전한 데이터 저장
데이터 표준화와 보안	양자암호, 블록체인 기술 적용을 통한 보안 강화
원격진료를 위한 의료장비·기기	휴대전화와 웨어러블 기기를 사용해 각종 의료정보 수집 가능
수술 로봇	로봇 기술의 발전에 따라 더 많은 수술 동작과 수술의 종류를 로봇이 수행하게 되어 비대면 수술의 범위가 넓어짐

[표 18] 원격의료 관련 기술과 인프라

23) 비대면 시대, 비대면 의료 국내외 현황과 발전방향, KISTEP Issue Paper, 2020

가. 기술별 동향

1) 5G

디지털 헬스케어는 인공지능, 사물인터넷, 웨어러블 디바이스, 스마트폰, 클라우드 컴퓨팅, 3D 프린터 등 디지털 기술이 의료에 접목된 분야다. 디지털 헬스케어는 인간이 원하는 미래 의료를 실현하기 위해 빠르게 성장하고 있는데, 최근에는 기술의 고도화를 통해 이전보다 최적화된 서비스를 제공할 수 있을 것으로 예상된다. 특히, 기존의 디지털 헬스케어 기술에 5G 상용화 소식이 더해지면서, 디지털 헬스케어 기술의 혁신에 대한 기대가 큰 상황이다.

[그림 37] 5G로 연결된 디지털 헬스케어 시스템

최근 디지털 헬스케어는 사물인터넷과 웨어러블 등의 기술이 접목되면서 다양한 생체 정보를 확보하고 이를 기반으로 질병 예방 및 건강 모니터링에 활용할 수 있는 서비스 모델이 생겨나고 있다.

실시간에 가까운 5G의 통신속도와 안정성은 원격 수술의 위험을 대폭 낮출 수 있고, 의료공급자를 찾기 어려운 지역의 거주자도 5G 통신기술을 통해 원격으로 의료서비스를 제공받을 수 있을 것으로 전망된다. 특히, 5G는 응급상황에서 유용할 것으로 보임. 5G로 통신할 수 있는 응급차 안에서는 환자와 의사가 원격으로 연결되어 치료가 가능해질 것으로 예상된다.[24]

24) 5G 상용화를 통한 디지털 헬스케어의 혁신, ICT산업 동향, 2019.05.09

2) 클라우드 컴퓨팅[25)]

차세대 산업사회를 견인할 것으로 기대되는 인공지능(AI), 애널리틱스, 인지컴퓨팅, 사물인터넷(IoT) 등 최신 기술은 초연결·초지능 시대를 실현하는 플랫폼을 필요로 하고 정보 처리 집약적인 업무 환경은 자산운용과 관리에 최적화된 솔루션을 요구하며, 확장성, 민첩성, 가용성, 경제성, 혁신성, 신뢰성 등 클라우드 서비스의 다양한 가치가 조명되면서 클라우드 산업은 고공 성장이 기대된다.

이러한 추세는 상대적으로 시장 변화에 보수적이라고 평가되고 있는 헬스케어 분야에서도 두드러지게 나타나며 세계 각국 정부가 바이오 헬스케어 분야에서 신성장 동력을 발견하고 대국민 의료서비스의 질적 향상을 위해 대규모 자본이 투입되는 프로젝트들을 가동 중이며 이들 대부분은 헬스 클라우드를 기반으로 진행되고 있다.

헬스 클라우드 서비스를 채택하는 주된 이유는 헬스케어 분야의 수요와 공급 간 발생하는 끊임없는 변화 때문이다. 고령화, 건강수명 증진에 대한 기대 등 헬스케어에 대한 수요 증가에 비해 공급 자원은 적절하게 활용되지 못하거나 부족하며 의료비용 지출은 가파르게 상승하여 종래의 양적 기반(volume based) 헬스케어가 소비자가 경험하는 가치 중심(value based)으로 재편되고 있고 발병 및 사고 후 치료에 집중되던 의료서비스는 예방과 사후관리를 아우르는 전 주기적 라이프 케어(lifecare)로 가치 사슬(value chain)을 확대하고 있다.

이러한 시스템은 일상에서의 건강 데이터 수집과 시의적절한 전문적인 피드백(feedback)을 필요로 한다. 즉, 환자 및 보호자, 의료서비스 제공자, 커뮤니티, 헬스케어 서비스업체, 보험사, 연구기 관, 지자체 및 정부 등 개인의 헬스케어와 관련된 이해관계자 사이의 긴밀하고 정확한 소통과 협업을 전제로 하는데 이를 실현할 수 있는 기술로 주목받는 것이 헬스케어 클라우드다.

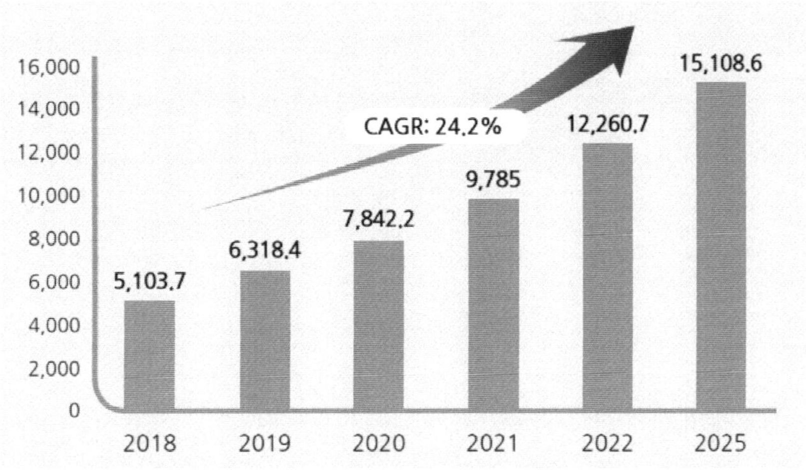

[그림 38] 글로벌 헬스케어 클라우드 컴퓨팅 시장 규모 (2018~2025)
(단위: 백만 달러)

---

25) 헬스케어 산업에서 클라우드 컴퓨팅의 활용, 한국바이오협회, 2020.05

Frost&Sullivan에 따르면, 글로벌 헬스케어 클라우드 컴퓨팅 시장은 2018년 51억 3백만 달러에서 연평균 24.2%의 비율로 성장하여 2023년 151억 8백만 달러에 이를 것으로 예측된다.

PHM(Prognostics and Health Management, 건전성 예측·관리), 통합의료 및 환자 참여를 포함한 헬스케어 공급업체의 새로운 기능은 클라우드 솔루션에 대한 투자를 필요로 하고 클라우드 컴퓨팅 기능 중 정보보안 기능이 최근까지 가장 중요시 여겨졌으나 앞으로는 데이터 백업 및 재난 복구 기능이 시장의 주요 요인으로 작용하며 특히 임상 작업에서 다양하게 응용될 것으로 예측된다.

클라우드 향상은 모든 이해관계자에게 유용할 것으로 헬스케어 클라우드 시스템 전반에서 상호운용성이 향상되어 특히 공급자 혹은 소비자로부터 자신의 의료기록을 빠르게 접근하고자 하는 환자에게 높은 활용도를 보일 것으로 예측된다.

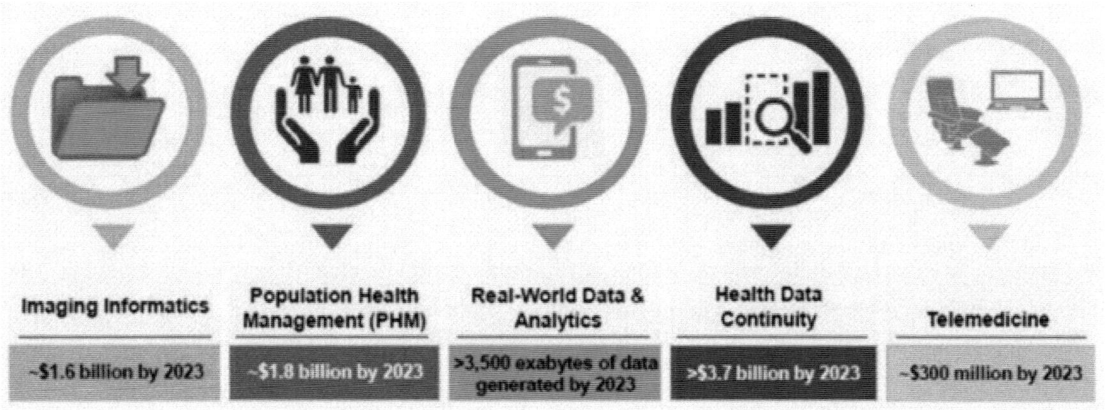

[그림 39] 글로벌 클라우스 컴퓨팅 시장 성장 기회

원격방사선 진단 서비스는 이미 클라우드 플랫폼을 활용하고 있고 많은 원격의료 공급업체가 클라우드 기반 서비스를 제공하고 있으며 이에 대한 투자가 증가하고 있음에 따라 Frost&Sullivan은 원격의료 시장이 2023년 3억 달러의 시장 규모로 성장할 것이라 예측했다.

3) AI[26]

원격의료 앱 개발업체들이 최근 서비스에 인공지능(AI) 기술 도입을 추진하면서 AI 원격의료 서비스가 본격화될 전망이다. 원격의료 앱 서비스업체인 메디히어, '굿닥'을 운영하는 케어랩스, '똑닥'을 운영하는 비브로스는 기업별로 누적 이용자 수가 최대 7000명을 넘어서고, 150여 명 의사를 확보하고, 일 평균 최대 200여 명이 진료를 받는 등 서비스 이용이 활발하며, 라이프시맨틱스는 다음 달 경 원격진료 서비스를 시작할 계획이다.

특히, 이 기업들은 원격의료를 통한 문진 서비스나 환자와 의사·진료과 등 매칭 서비스에 AI 기술을 도입하기 위해 제품 개발을 진행하고 있다.

가장 많은 이용자 수를 보유한 기업은 의료진과의 전화 진료를 연결해주고 1:1 채팅 서비스를 제공하는 '굿닥'이다. 굿닥 서비스 이용자 수는 지난 19월 기준 약 7600명이며, 페이지 클릭 수 기준 누적 방문자 수는 약 354만 명에 달한다. 특히 굿닥 서비스를 통해 환자들은 카카오 오픈채팅방을 통해 의료진에게 자신의 병명, 증상을 소개할 수 있어서 편리하다는 반응이 나오고 있다. 굿닥은 비대면 문진의 한계를 극복하기 위해 문진에 AI 기술을 적용하는 방안을 추진 중이며, 의사와 진료과를 매칭하는 부분에도 AI 적용을 위한 기술 개발을 진행 중이다.

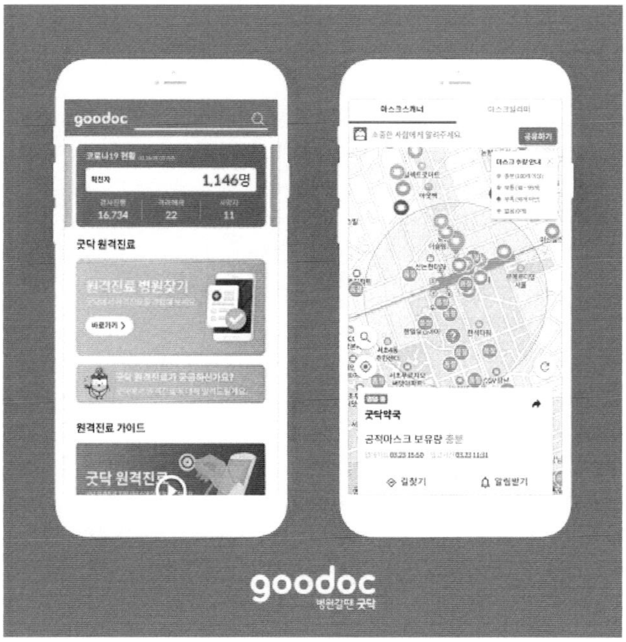

[그림 40] 굿닥

국내 최초로 원격 화상 진료 앱을 출시한 메디히어는 진료 건수가 3000여 건에 달하며, 150명의 의사가 등록돼 활동하고 있다. 이 중 원격진료 서비스를 활발히 진행하고 있는 의사 수도 30~40여 명에 이른다.

---

26) [AI 기획] 원격진료 AI와 만나다, 채윤정, 메트로신문, 2020.04.23

메디히어는 현재 문진 시 환자의 정보를 문서로 입력하는 대신 AI 챗봇으로 변경하기 위해 제품을 개발 중이며, 환자의 건강정보 등을 AI에 학습시켜 AI로 질환을 미리 예측하는 서비스도 개발하고 있다.

라이프시맨틱스는 이미 AI로 12개 질환의 2년 내 발생위험 확률을 알려주는 질환 예측 기반 고객관계관리(CRM) 솔루션 '하이'를 개발해 보험설계사들에게 공급하고 있으며, 원격진료에도 이 같은 AI 기술을 적용할 계획이다.

똑닥은 전화 진료 상담에 동의한 제휴 병원을 보여주는 원격진료 서비스를 제공하고 있다. '접수하기' 버튼을 눌러 진료 항목에서 '전화 상담 진료'를 선택하면 원격진료를 받을 수 있다. 똑닥도 향후 AI 기술을 도입하고, 모바일 예약 접수, 결제, 보험 청구 등 기능을 추가해 서비스를 고도화할 계획이다.

[그림 41] 똑닥

나. 특허 동향

특허 제목	진료 키트를 이용한 원격진료 서비스 제공 장치, 시스템, 방법 및 프로그램		
출원인	주식회사 지나웍스	출원일	2022.03.22

요약

본 발명의 실시예에 따르면, 원격진료 서비스 제공 장치가 제공된다. 상기 장치는, 적어도 하나의 프로세서(processor); 및 상기 적어도 하나의 프로세서가 적어도 하나의 동작(operation)을 수행하도록 지시하는 명령어들(instructions)을 저장하는 메모리(memory)를 포함하고, 상기 적어도 하나의 동작은, 사용자의 사용자 단말과 의료인의 의료기관 단말 사이의 원격진료예약을 생성하는 동작; 상기 원격진료예약과 대응하는 예약시각으로부터 미리 설정된 시간 전에 원격진료를 위한 채널을 생성하고, 상기 채널을 상기 사용자 단말 및 상기 의료기관 단말에 제공하는 동작; 상기 채널을 통해, 상기 사용자 단말로부터 수신한 상기 사용자의 영상을 상기 의료기관 단말에 제공하고, 상기 의료기관 단말로부터 수신한 상기 의료인의 영상을 상기 사용자 단말에 제공하는 동작; 상기 의료인 단말로부터 상기 사용자 단말의 센서 디바이스에 대한 사용요청신호를 수신하는 동작; 및 상기 사용요청신호 및 상기 센서 디바이스에 대한 사용방법을 상기 사용자 단말에 제공하는 동작을 포함할 수 있다.

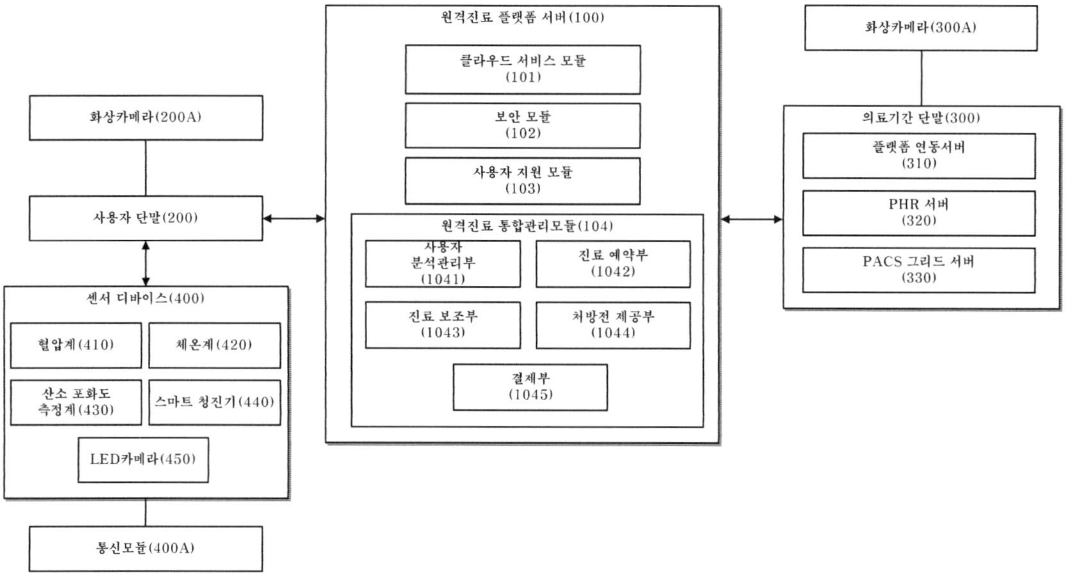

특허 제목	인공지능 기반 원격 의료 서비스 제공 서버 및 이의 동작 방법		
출원인	주식회사 엔에스아이알	출원일	2022.05.18

요약

본 발명의 일 실시예에 따른 방법은, 사용자로부터 음성 혹은 텍스트로 된 자연어 입력을 수신하는 단계; 상기 자연어 입력을 분석하여 매칭되는 하나 이상의 질병명 및 상기 하나 이상의 질병명에 대응하는 확률을 포함하는 질병 정보를 제공하는 단계; 상기 질병 정보에 대응하는 전문의를 결정하고, 상기 사용자와 상기 전문의 간의 원격 진료 환경을 제공하는 단계; 상기 원격 진료 환경을 제공하는 중에 획득되는 영상, 음성, 차트, 처방 중 하나 이상을 분석한 결과에 기초하여 진료 데이터를 수집하는 단계; 상기 진료 데이터에 기반하여 예후 스케줄링을 형성하는 단계; 를 포함하는, 인공지능 기반 원격 의료 서비스 제공 방법이다.

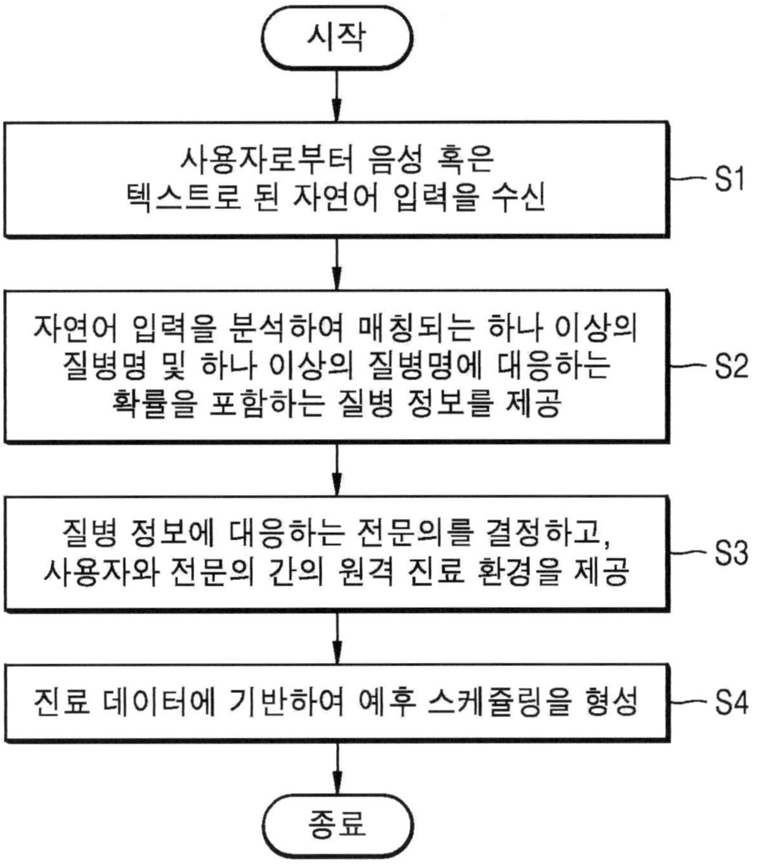

특허 제목	원격 의료를 통해 환자를 치료하기 위해 재활 또는 운동 장비의 센서 데이터를 사용하는 방법 및 시스템		
출원인	롬 테크놀로지스, 인크.	**출원일**	2021.04.22

요약

방법은, 치료 기기를 사용하여 치료 계획을 수행하는 사용자에 관한 치료 데이터를 수신하는 단계를 포함한다. 치료 데이터는 사용자의 특성들, 사용자가 치료 기기를 사용하는 동안 사용자에 관한 측정 정보, 치료 기기의 특성들 및 치료 계획 중 적어도 하나를 포함한다. 방법은 또한 치료 데이터를 사용하여 치료 정보를 생성하는 단계 및 헬스케어 제공자의 컴퓨팅 디바이스에서 액세스하기 위해, 치료 정보를 저장하는 단계를 포함한다. 방법은 또한 헬스케어 제공자의 컴퓨팅 디바이스에서 인터페이스와 통신하는 단계로서, 인터페이스는 치료 계획 입력을 수신하도록 구성되는, 상기 통신하는 단계, 및 치료 계획에 대한 적어도 하나의 수정을 포함하는 치료 계획 입력을 수신하는 것에 응답하여 치료 계획을 수정하는 단계를 포함한다.

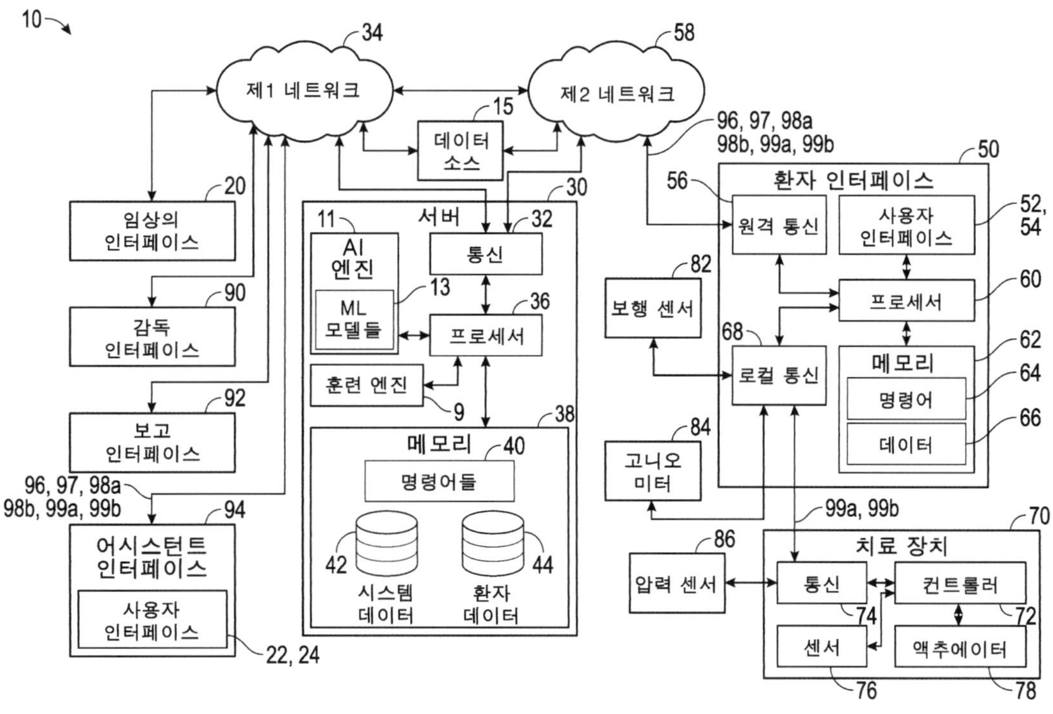

특허 제목	비대면 의료상담 서비스 제공방법 및 제공플랫폼		
출원인	주식회사 피플스헬스	출원일	2021.12.23

요약

비대면 의료상담 서비스 제공방법으로, 사용자 단말로부터 의료상담 요청정보가 서버로 업로드되는 단계; 상기 서버는 상기 의료상담 요청정보를 기준으로 상기 서버에 저장된 의료전문가를 검색하여 매칭하는 단계; 상기 서버는 매칭된 의료전문가의 단말로 상기 의료상담 요청정보를 전송하는 단계; 상기 서버는 상기 의료전문가의 단말로부터 상기 의료상담 요청정보에 대응하는 의료상담 정보를 전송받아 상기 사용자 단말로 전송하는 단계를 포함하는 비대면 의료상담 서비스 제공방법이 제공된다.

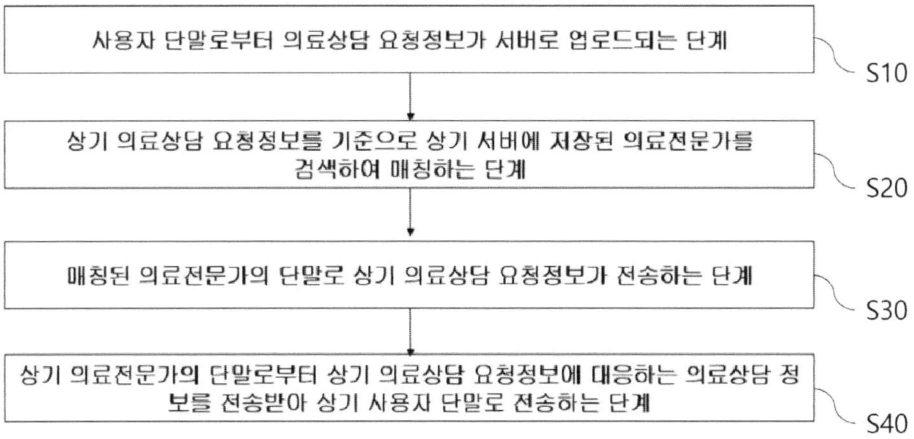

특허 제목	원격 의료진단 설명 장치 및 그 방법		
출원인	테크하임주식회사	출원일	2021.06.21

요약

원격 의료진단 설명 장치 및 그 방법이 개시된다. 원격 의료 진단 장치는 원격지에 존재하는 의료진의 영상 및 의료진의 음성을 포함한 정보를 출력할 수 있고, 환자의 신체 중 일부를 배경으로 영상을 프로젝션할 수 있는 장치를 포함하고, 유무선 통신으로 데이터를 주고 받을 수 있는 출력장치; 및 상기 출력장치로부터 환자의 신체 중 일부에 프로젝션하여 설명을 도울 수 있는 프로젝션 피사보조물를 포함하는 의료진단 설명 장치에 있어서, 상기 출력장치는 수술 및 치료 행위를 포함한 일련의 의료행위 일체를 동영상으로 출력할 수 있는 것을 특징으로 한다.

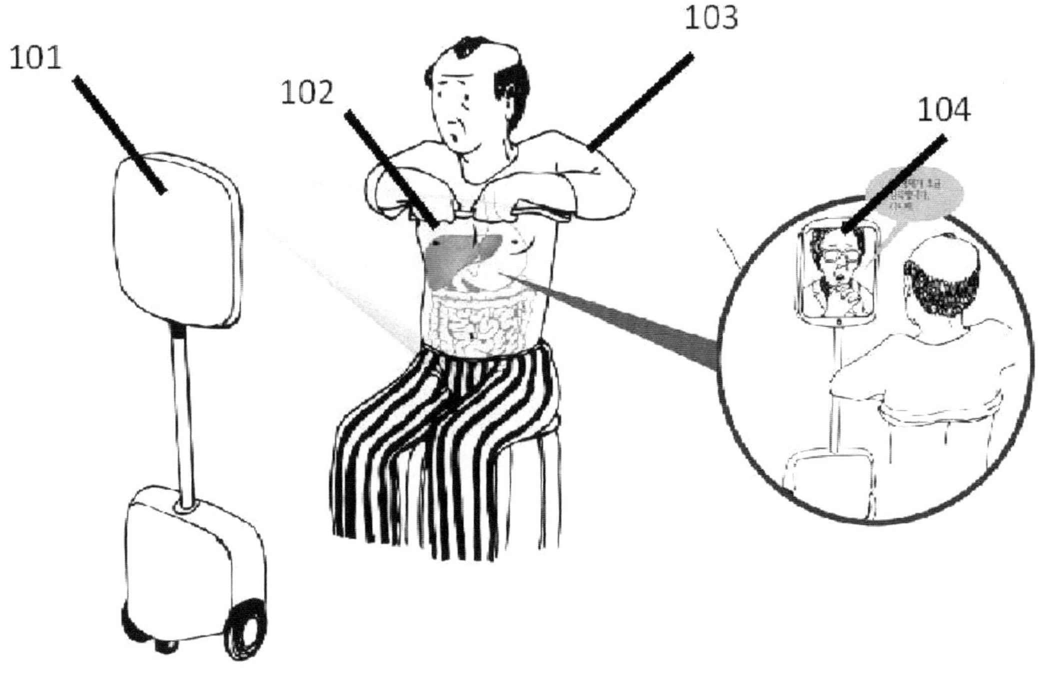

특허 제목	원격 환자 모니터링 환경에서의 엣지 컴퓨팅 기반 AI 알람 시스템		
출원인	주식회사 슈파스	출원일	2021.04.28

요약

원격 환자 모니터링 환경에서의 엣지 컴퓨팅 기반 AI 알람 시스템 이 제공된다. 본 발명의 다양한 실시예에 따른 원격 환자 모니터링 환경에서의 엣지 컴퓨팅 기반 AI 알람 시스템은, 가정에서 요양 중인 환자에 대하여 질병뿐만 아니라 낙상 등과 같은 다양한 위험상황을 예측하고, 예측 결과에 따라 알림을 제공한다.

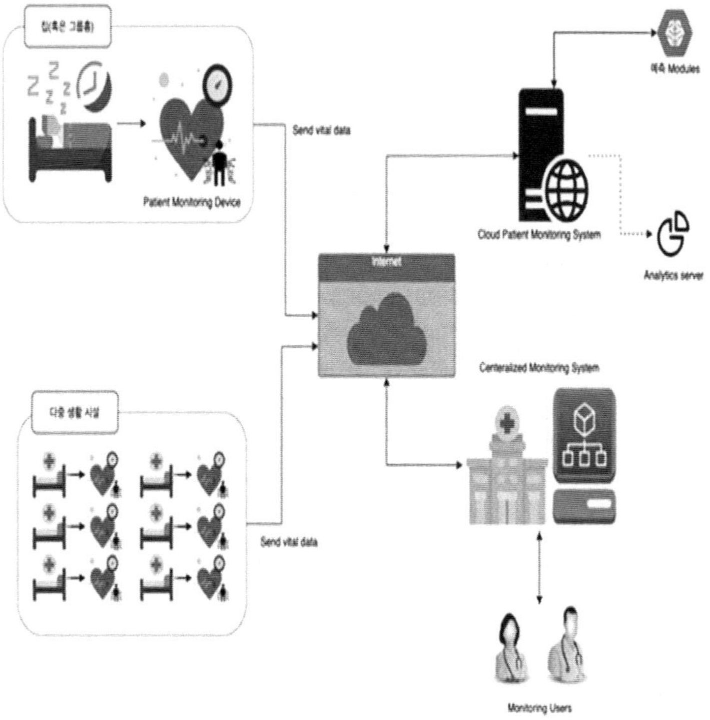

특허 제목	원격 위치로부터 환자에게 시력 교정 옵션에 참여하게 하고 이를 제공하기 위한 방법 및 장치		
출원인	존슨 앤드 존슨 비젼 케어, 인코포레이티드	출원일	2021.02.08

요약

환자에게 시력 교정을 제공하기 위한 방법 및 시스템이 개시된다. 이 방법 및 시스템은 환자에게 시력 진단 및 교정 옵션에 참여하게 하고 이를 제공하도록 시력 관리 POD를 채용한다. 보다 구체적으로, 이 방법 및 시스템은 시력 교정을 필요로 하는 특정의 식별된 군을 목표 설정한 소스를 통해 지리적 지역의 사람들을 교육시키는 단계; 시력 관리 POD를 사용하여 환자들에게 눈 검사를 제공하여 개인 맞춤형 시력 교정 ID 카드를 생성하는 단계; 환자에게 하나 이상의 시력 교정 해결책(들)을 제공하는 단계; 하나 이상의 시력 교정 해결책(들) 및 해결책(들)에 대한 해당 훈련을 환자에게 공급하는 단계; 및 환자에게 지속적인 관리 및 지원을 제공하는 단계를 포함한다.

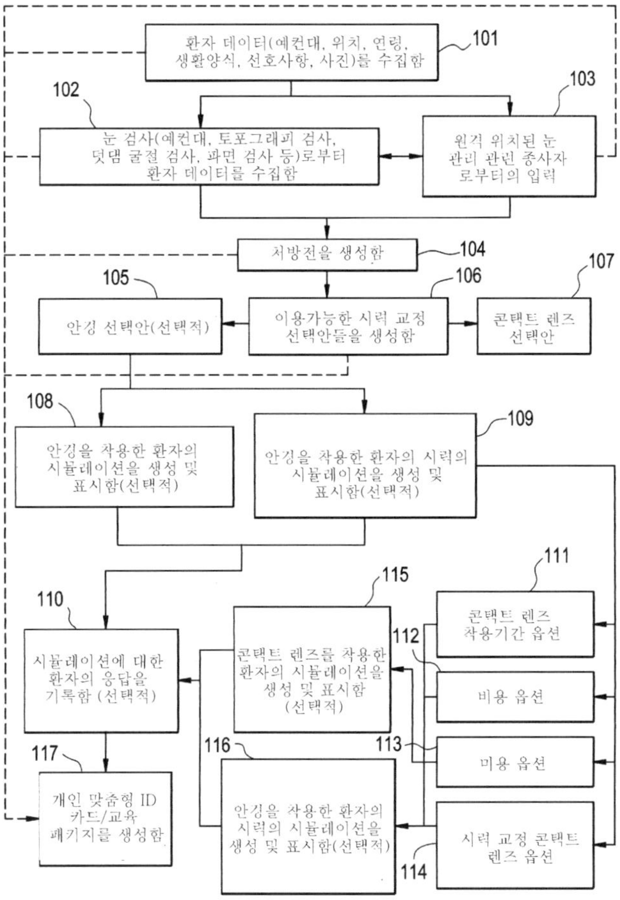

특허 제목	천장형 인공지능 건강 모니터링 장치 및 이를 이용한 원격 의료 진단 방법		
출원인	성균관대학교산학협력단	출원일	2020.05.08

요약

본 발명은, 인공지능의 도움을 받아 의사의 도움 없이, 천장에 설치된 건강 모니터링 장치를 활용하여 상시적으로 환자의 건강을 체크 관리하고 건강 이상 발생시 전문 의료인에 의한 원격 진단을 제공받기 위한 것으로, 특히 전염병 같은 비상시국에 상기 건강 모니터링 장치의 제어권을 국가 당국이나 의료 당국에 넘겨, 자가 격리자를 비롯한 질병 의심 환자에 대한 전염병 관리 체계를 신속히 구축하고, 이들을 효율적으로 관리하기 위한 장치와 방법을 제공한다.

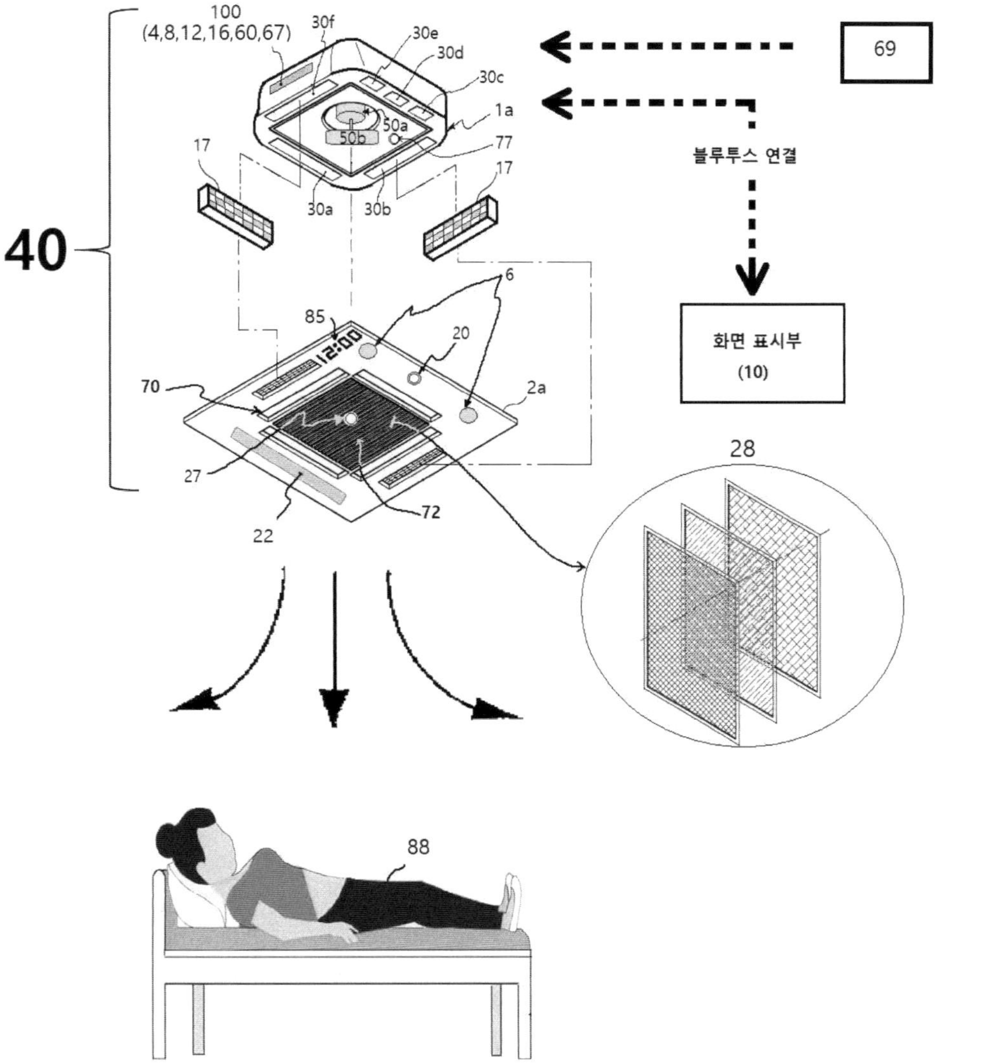

특허 제목	원격 의료 서비스 제공 시스템		
출원인	이소정	출원일	2020.09.28

요약

본 발명은 원격 의료 서비스 제공 시스템에 관한 것으로서, 원격 의료 서비스를 위해 필요한 전용 어플리케이션을 제공하고, 원격 의료 서비스를 전체적으로 관리하는 관리 서버, 환자의 신체 일부에 착용되어, 생체 신호를 검출하고, 검출한 생체신호를 근거리 무선통신망을 통해 단말에 송신하기 위한 웨어러블 장비, 원격 의료 서비스를 제공받기 위하여 상기 전용 어플리케이션에 접속하고, 상기 웨어러블 장비로부터 생체 신호를 수신하여 병원 서버로 전달하고, 선택된 병원 서버와 원격 진료를 수행하는 환자 단말, 상기 환자 단말과 통신하며 원격 진료를 제공하고, 원격 진료를 통해 환자에게 처방된 약품 정보인 처방 정보를 상기 환자 단말과 약국 서버에 전송하는 병원 서버, 상기 병원 서버로부터 처방 정보를 수신하면, 수신한 처방 정보에 따른 의약품을 상기 환자의 주소로 배달되도록 배달업체 서버에 요청하는 약국 서버 및 상기 약국 서버로부터 수신한 요청에 따라 상기 환자의 주소로 의약품을 배달하는 배달업체 서버를 포함한다.

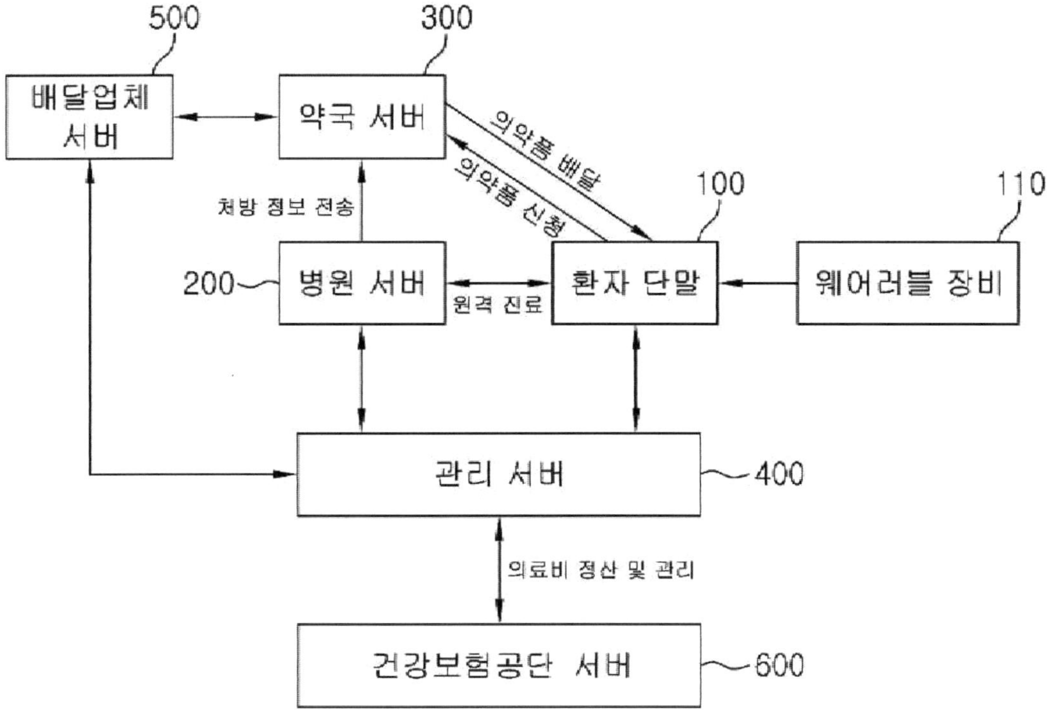

특허 제목	인공지능 뉴로피드백 기반의 원격 진료 시스템의 동작 방법		
출원인	고려대학교 산학협력단	출원일	2020.08.28

요약

일실시예에 따른 원격 진료 시스템은 자극신호에 기초하여, 자극신호 및 상기 자극신호에 상응하는 생체신호가 포함된 모니터링 정보를 클라우드로 전송하는 게이트웨이, 및 상기 전송된 모니터링 정보로부터 상기 자극신호 및 상기 생체신호를 추출하고, 상기 추출된 자극신호 및 상기 생체신호를 기저장된 인공지능 기계학습 알고리즘 기반의 자극 조절 모델의 입력으로 제공하고, 상기 자극 조절 모델의 출력으로서 상기 생체신호가 교감신경과 부교감신경의 균형을 위해 조절되도록 하는 자극신호로 재생성하며, 상기 재생성된 자극신호를 사용자 맞춤형 미주신경 자극 및 펄스 전자기장 인가 장치로 피드백하는 서버를 포함하고, 상기 모니터링 정보는 사용자 맞춤형 미주신경 자극 및 펄스 전자기장 인가 장치에서 발생된 자극신호에 기초하여, 자극 부위에서 전자기의 형태로 미주신경을 자극하고, 자극에 반응하여 측정된 생체신호가 포함되며, 상기 사용자 맞춤형 미주신경 자극 및 펄스 전자기장 인가 장치는, 상기 피드백된 자극신호로써 새롭게 미주신경을 자극할 수 있다.

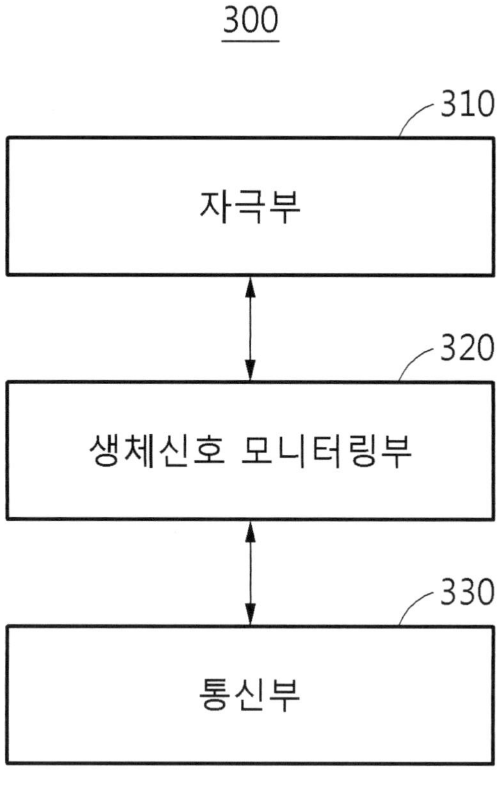

6 원격의료 관련 제도 현황

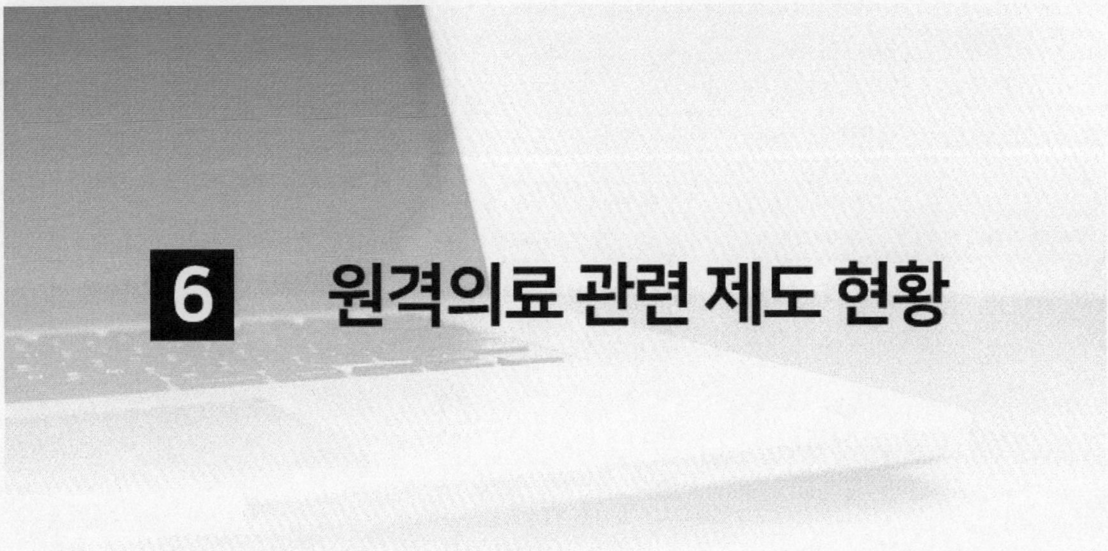

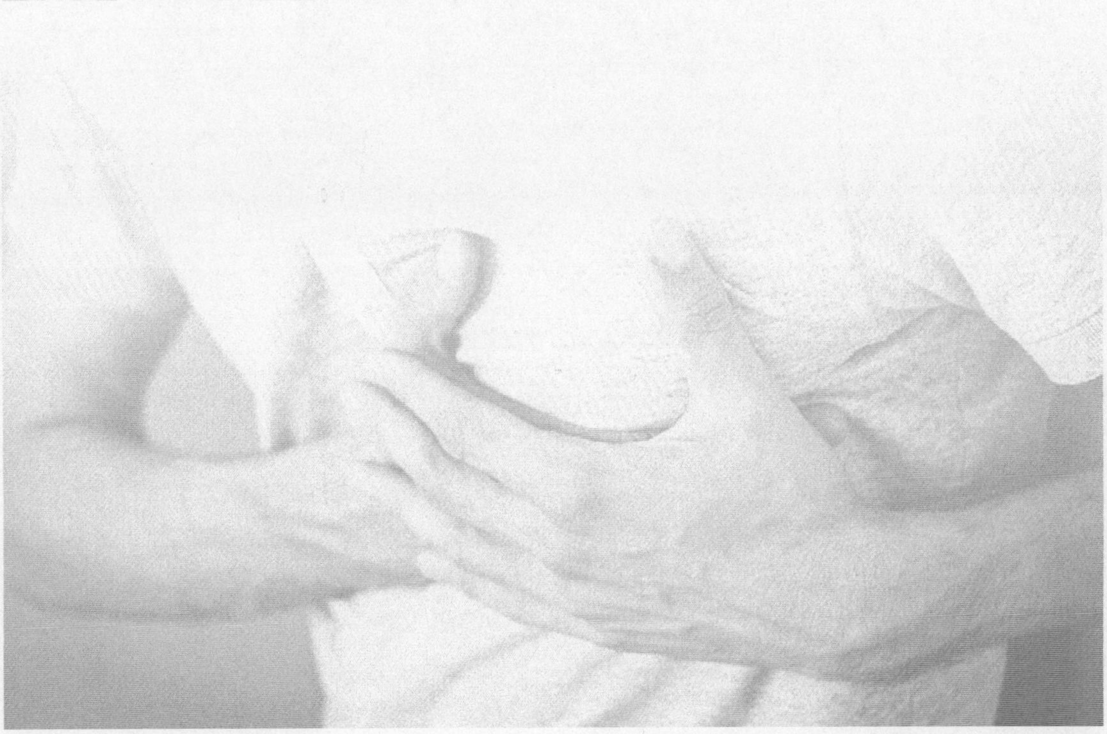

6. 원격의료 관련 제도 현황[27)]

가. 해외 현황

1) 미국

미국은 넓은 영토와 지역별 의료수준의 차이로 의료접근성 문제가 늘 심각한 국가로, 일찍부터 원격의료를 그 해결방안으로 활용하였다. 미국에서 처음 원격의료를 시도했던 것은 1877년 21명의 의사들이 지역 약국과 원활한 의사소통을 하기 위해 전화교환장치를 만들었던 것으로 보고 있으나 원격의료 서비스로서의 최초 시도는 1920년대 전파(radio frequency)를 이용하여 해상에서 이루어진 응급의료서비스라고 볼 수 있다. 이처럼 미국은 일찍부터 원격의료 서비스를 도입하기 위한 시도들을 해왔고, 본격적으로 원격의료가 활성화 된 것은 1990년대 초고속 통신망이 전국적으로 확산되면서부터였다.

연방 보건복지법령(42USC§1395m, 42CFR §410.78, 414.6565)과 일부 주정부의 원격의료개발법(Telemedicine Development Act of 1996, SB 1665)이 제정되면서 농촌 및 전문 보건의료 부족지역의 의료접근성 향상을 위해 원격의료가 본격적으로 활용되기 시작하였고, 1996년 건강보험정보의 이전 및 그 책임에 관한 법률(Health Insurance Portability and Accountability Act, HIPAA)가 제정되면서 원격의료에서 문제가 되었던 개인의 의료정보서비스 이용이 허용되었다. 이후 담당 정부기관들이 설립되고, 관련 법들이 제정되면서 원격의료의 제도적 정비가 이루어졌다.

1997년 균형재정법(Balanced Budget Act)이 설립되면서 연방정부 메디케어(65세 이상 노인 대상)에 처음으로 원격의료에 대한 보험 급여가 적용되었고, 각 주별로 운영하는 메디케이드(저소득층 대상)에서도 제한된 범위 내에서 주별로 원격의료에 대한 급여를 적용하였다. 미국 내에서 원격의료의 활용 정도는 주별로 상황에 따라 차이가 있었으나 점점 확대되는 추세였고, 코로나19가 발병하면서 원격의료의 일시적인 확대 정책이 2020년 3월 19일에 발표되었다. 미국은 코로나19의 확산세가 잦아들자 코로나19 기간에 한시적으로 적용하였던 수가 적용 시기를 2023년 12월 31일까지 적용한다고 발표하였다. 그러나 미국 보건복지부에서 발표한 보고서에 따르면 미국 내 원격의료 이용자가 2019년 대비 88배 증가한 2800만 명이 넘는 메디케어 수혜자가 2020년 3월부터 2021년 2월까지 원격의료서비스를 이용한 것으로 나타났다. 이러한 결과는 미국 보건복지부 산하 CMS(Centers for Medicare and Medical Services)가 원격의료 서비스의 영구적 허용 여부를 고려할 때 중요한 사항이 될 수 있다고 하였다.

가) 원격의료 제공 방식

메디케어에서는 급여 적용 원격의료 서비스 방식에 대해 실시간 쌍방향 오디오-비디오 방식(interactive audio-video)을 원칙으로 하고 있다. 즉, 환자와 같은 장소에 있지 않는 의료서비스 제공자와 환자가 쌍방향 오디오-비디오 기술을 이용하여 실시간으로 진단, 모니터링 등 의료서비스를 제공하는 방식이다. 따라서 전화, 팩스, 이메일은 보험 급여 적용을 위한 원격의료 서비스 방식에는 포함되지 않았다.

---

27) 원격의료 정책 현황과 대응방안 연구, 의료정책연구소, 2022.04

미국 각 주는 메디케이드는 주마다 차이가 있지만 원격의료 급여 적용을 해 주고 있는데 모든 주에서 실시간(동시) 오디오-비디오 방식(interactive audio-video)을 원칙으로 하고 있다. 18개 주에서만 저장 후 전송 방식(store-and-forward)과 21개주에서만 원거리 환자모니터링(remote patient monitoring, RPM)도 허용하고 있고, 메디케어와 마찬가지로 전화, 팩스, 이메일 방식은 보험 급여 적용되는 서비스 방식으로 인정하지 않았다. 그러나 코로나19가 발생하자 일부 주에서만 허용하던 저장주 전송방식과 원거리 환자 모니터링을 각 주에서 일시적으로 허용하였고, 2020년 3월부터 메디케어에서는 원격의료, 가상내원, 온라인 환자포털의 3가지 방식으로 원격의료 서비스를 제공할 수 있도록 하였다. 사용 수단으로는 애플 페이스타임, 페이스북 메신저 영상채팅, 구글 행아웃 비디오, Skype 등의 SNS 앱 사용도 허용되었다. 단, 페이스북 라디오, 트위치, 틱톡 등 비디오 커뮤니케이션 앱은 원격의료 서비스 방식으로 허용하지 않았다.

① 민간 주도의 '전자 의무 기록 통합 관리 시스템' 구축 추진 중

미국은 2018년 기준 미국 내 전체 병원 중 96%가 EMR을 도입하였고, 대형병원의 경우에는 도입율이 99%에 달하고, 지방 소형 병원도 도입율이 93%에 달하는 것으로 도입율이 매우 높다. 왜냐하면 CMS가 EMR 도입 병원에 인센티브를 제공하는 프로그램(Meaningful Use)을 시행하고 있기 때문이다. 그러나 EMR 도입률에 비해 EMR 프로그램 사이의 상호 호환성이 매우 떨어지는 것으로 나타났는데 미국 병원당 평균 16개의 각기 다른 EMR 소프트웨어를 사용하고 있는 것으로 나타났다. 이러한 문제는 미국 정부가 의료 기록의 전산화에 집중하면서 EMR 소프트웨어 개발과 관련된 구체적인 가이드라인을 제시하지 못하고 있기 때문이다. 특히 병원 및 소프트웨어 제작업체에게 개발과 관련된 자율성을 부여하였기 때문이다. 미국 정부는 EMR 상호 비호환성 문제를 해결하기 위해 환자 의료정보의 공유가 가능하도록 API(Application Program Interface)형태로 제공하도록 규준을 세웠다. API란 운영체제가 응용프로그램 개발을 위해 제공하는 프로그래밍 규격이다. 그러나 1천개에 달하는 EMR 프로그램의 상호비호환성 문제는 해결되지 않았다. 이에 2018년 트럼프 정부는 2018년 3월에 환자가 자신의 건강 기록을 접근할 수 있도록 MyHealthEData정책 사업을 추진하기 시작했고, 현재 1,200개 이상의 단체가 해당 API를 사용하여 다양한 건강 및 의료관련 앱을 개발 중에 있다. 결과적으로 미국은 국가 주도로 EMR 통합 시스템을 구축하고 있지 않고, EMR 소프트웨어를 개발할 때 API 형태로 개발하도록 그 기준을 지키도록 함으로써 EMR 통합을 위해 노력하고 있다.

미국 내에서는 국가가 EMR 통합 시스템을 구축하는 것보다 민간 기업에서 EMR을 민간기업의 헬스데이터 앱에 연동시켜서 EMR 통합 시스템을 구축하려고 노력하고 있다. 대표적인 예로는 애플(Apple)과 헬스고릴라(Health Gorilla)가 개발 중에 있는 유니버셜 EMR이다. 애플은 진료 시 필요한 서류, 혹은 영상작업을 대행해주는 데이터처리 전문기업인 '헬스 고릴라'와 협력해 건강관련 데이터 처리를 모두 통합하고 있는데 이는 헬스케어 플랫폼을 완성하는데 핵심적인 절차다. 유니버셜 EMR이 완성되면 혈액검사는 물론 X레이와 MRI 촬영 데이터, 기타 건강 관련 검사 데이터가 통합 관리되고, 마치 병원에서 진료를 받는 것처럼 개인에 대한 종합 진단 결과를 열람할 수 있다. 애플은 2021년부터 개인의 활동량이나 음식 섭취량 등을 수집해왔다.

그러나 개인의 병력이나 진료기록 등 의무기록을 통합 관리하는 데는 기술적인 문제로 많은 어려움을 겪어왔지만 최근에 의료 기록의 통합 관리가 가능해지면서 그동안 불가능했던 특수 기능들을 추가할 수 있는 환경이 조성되고 있다. 애플이 헬스케어 플랫폼을 완성하고 데이터 수집이 가능한 센서나 단말을 제공한다면 이용자 역시 크게 늘 것으로 예상되고 있다. 애플은 현재 원격의료 기능을 강화하기 위해 증강현실 플랫폼을 추가하는 등 많은 노력을 기울이고 있는 중이다.

② 원격의료 앱

미국은 국가주도로 원격의료 서비스 제공 앱을 개발하지는 않았고, 원격의료 서비스를 제공하는 앱으로 대표적인 것은 바로 텔라닥(teledoc)으로 2002년 설립된 텔라닥은 미국 최초 원격의료 서비스 제공 앱이고, 미국 원격의료 시장의 70%를 차지한다. 현재 3천명이 넘는 의사를 보유하고 있고, 450개 의료 전문 분야에 약 5만 5000명의 전문가 네트워크를 가지고 있다. 독감, 결막염 등 경증부터 암에 이르기까지 급성 질환을 제외하고는 대부분 질환에 대해 원격의료를 제공하고 있다. 약 175개 국가에서 40개 언어로 서비스를 제공하고 있다.

텔라닥을 이용하는 고객들은 웹사이트·어플리케이션·콜센터 등을 통해 진료를 신청하고 보유 보험 커버리지·성별·사용 언어 등을 고려해 가장 적합한 의료진을 배정받는다. 10분 정도의 대기 시간을 거쳐 진료를 받을 수 있고 환자의 기본정보와 의무기록을 작성한 후 증상을 사진이나 영상으로 찍어 전송하면 진료를 받을 수 있다. 진료 후 의료진이 환자의 전자 건강 기록(EHR)을 업로드하거나 전문의에게 이관하고, 고객이 방문할 약국을 설정하면 의사가 처방전을 해당 약국으로 보내준다.

2021년 4분기 기준으로 텔라닥 가입자는 7,850만 명에 달하며 유로 멤버십 가입자 수는 5,360만 명에 이르는 것으로 나타났다. 또한 만성 케어 프로그램 중 하나 이상을 등록한 회원 수는 72만 9천 명에 이르는 것으로 나타났다. 텔라닥의 유료 회원수 당 평균 매출은 2.49달러이고, 지난 5년간 연평균 72.14% 성장률을 보였다. 텔라닥의 2021년 4분기 매출액은 전년 동기 대비 44.6% 증가한 5억 5400만 달러(한화 약 6,673억 원)에 달한다.

텔라닥 외에도 미국 내에서 원격의료 서비스 제공 앱은 MD라이브(MDLive), 암웰(American Well; AmWell), 닥터온디멘드(Doctor On Demand) 등 다수가 있다.

나) 원격의료 수가

원격의료 수가는 주별로 다르게 적용되고 있는데, 코로나19 이후로 수가 적용 질환 항목이 270개(2021년 4월 30일 기준)으로 증가하였다. 이중 일부는 코로나19 유행기간 동안 한시적으로 적용되고 일부는 영구적으로 적용되었다. 그러나 2022년 발표된 CMS 원격의료 수가표에 따르면 코로나19 유행기간 동안 한시적으로 적용된다고 명시되었던 항목들이 대부분 2023년 12월 31일까지 적용한다고 변경되어 수가 적용 시기 한도를 명확하게 하였다. 원격의료 수가는 대면진료의 절반 수준에서 parity law(대면진료와 원격의료 수가 동일화 의무법) 적용되는 주에서는 동등하게 적용되고 있다.

다) 원격의료 관련 법

미국은 연방 차원에서 보건복지법령 42 CFR §410.78(원격의료 서비스) 규정을 근거로 보건 전문 인력이 부족한 의료 취약지에 거주하는 환자를 대상으로 원격의료서비스를 제공해왔다.

동 원격의료 서비스 규정에는 원격의료 서비스 제공 기관, 원격의료 제공 의사와 의료진의 자격 요건, 원격의료에 관한 장비 규격, 원격의료 서비스 제공 대상, 제공되는 의료 서비스, 비용 부담 등에 관한 사항을 규정하고 있다. 연방 차원에서 원격의료 서비스 규정을 마련한 데에는 미국의 넓은 영토로 인해 의료취약 지역 환자의 의료접근성을 향상시켜야 한다는 사회적 공감대가 일찍이 형성된 점을 주요 배경이라 할 수 있다.

그리고 원격의료 서비스 활성화를 위해서는 주법에 따라 상이하게 규정될 수 있는 원격의료 관련 규정에 있어 적어도 장비 규격과, 원격의료를 수행하는 보건의료종사자의 자격을 통일하자고 했던 것으로 이해된다.

주정부차원에서는 원격의료개발법(Telemedicine Development Act) 등을 제정하여 격오지에 거주하는 취약주민을 대상으로 원격 의료서비스를 제공하고 있다. 각 주별로 보장기준을 두고 있어 주별 원격의료의 유형, 제공방식과 대상질환(진료과목) 및 장소적 제한 등의 조건이 상이하고 보험급여가 적용되는 범위도 주에 따라 다르다.

연방 차원에서는 42 CFR §400.200에서 규정하고 있는 공중보건 비상사태 기간을 제외하고, 상호통신시스템 장비에 의해 제공된 전문 상담, 개별 심리 치료, 약물요법 말기 신장 질환 관련 서비스 비용을 메디케어 Part B로부터 지급 받을 수 있다(§410.78(b)).

메디케어 Part B 지불 대상이 되기 위해서는 일정 요건을 충족해야 한다. 첫 번째 요건은 원격지의료인은 원격의료가 행해지는 주의 면허를 받아야 한다. 두 번째 요건은 원격의료 서비스가 상호통신시스템(interactive telecommunications system)을 통해 제공되어야 한다(§410.78(b)(1)). 다만, 원격의료 장소에 대한 제한을 두고 있지는 않다. 즉 의사와 환자 간 실시간 의사소통이 가능한 상호통신시스템 장비를 갖춘 경우만 원격의료로 인정하는 것이다. 원격의료인은 의사뿐만 아니라 전문간호사, 간호사, 조산사, 임상심리치료사, 임상사회복지사, 식이·영양 전문가, 공인 등록된 마취 간호사 등도 그 대상으로 포함된다(§410.78(b)(2)).

원격의료 대상은 공중보건서비스법(Public Health Service Act(42 U.S.C. 254e(a)(1)(A))에 따라 보건 전문 인력이 부족한 지역이거나 대도시군에 포함되지 않은 위치에 거주하는 환자이거나 지리적 위치에 관계없이 자금을 지원받은 연방 원격의료 프로젝트에 참여하고 있는 기관의 환자도 대상이 된다. 현지의료인은(telepresenter)은 원격지의료인의 의학적 견지에서 반드시 필요하다고 판단하지 않는 한 동석할 필요는 없다(§410.78(c)).

고령자를 대상으로 한 사회보험인 메디케어와 의료급여 프로그램인 메디케이드에서 원격의료 서비스 비용을 지불하고 있다. 주정부가 운영하는 메디케이드 보험급여도 대부분 특정한 제공방식에 의한 원격의료 서비스에 한하여 적용되는데, 그 범위가 대단히 제한적인 주도 있다.

현재 실시간 쌍방향의 음성-화상 시스템에 의한 원격의료를 보장하는 주와 저장 및 전송기술에 의한 방법을 보장하는 주, 원거리 환자모니터링에 의한 원격의료를 보장하고 있는 주가 있다. 알레스카, 미네소타 및 미시시피 등의 일부 주에서는 위 3가지 제공방식 모두에 대해 메디케이드 보험급여가 인정되고 있다.

2) 중국

중국은 방대한 국토 면적에 비해 의사 수가 부족하여 환자의 의료접근성이 낮고 국민의 대형 병원 선호현상이 강하여 주로 대도시 지역 병원에 환자가 몰리고 있다는 보건의료 분야의 문제점을 안고 있다. 중국의 의료기관은 총 3급으로 분류되며, 종합병원급 이상의 의료기관에 해당하는 3급 의료기관은 주로 대도시에 집중되어 있다. 지방 중소 도시 및 농촌 지역의 의료시설은 부족하여 지역 별 의료서비스 제공 수준에 대한 편차가 큰 상황이다.

분류	역할	병상 수	병상 당 의료 인력	기타
3급 병원	• 응급, 중증, 난치성 질환 대상 • 전문 진료가 필요한 질환 대상	500개 이상	의사 1.03명 간호사 0.4명	응급실, 중환자실 필요 모든 진료과목
2급 병원	• 회복기, 안정기 환자 대상 • 전문 진료가 필요한 대상	100~499개	의사 0.88명 간호사 0.4명	응급실 불필요
1급 병원	• 일반적 초진, 진단이 분명한 • 일반 질환 대상 만성질환자 (고혈압, 당뇨병) 관리 • 재활 및 공공 위생 (예방접종 포함) 담당	20~99개	의사 3명 간호사 5명	내과, 외과, 산부인과 X-ray 필요

[표 29] 중국 분급 진료 시스템

이러한 문제에 대한 개선을 위해 2014년 8월 중국 국무원은 '의료기구 원격의료 서비스 추진에 관한 의견'을 발표112)하였으며 이후, 의사-환자 간 제공되는 원격의료 서비스를 이용하기 시작하였다. 이에 따라 온라인 병원 설립이 시작되면서 본격적인 원격의료에 대한 보급이 시작되었으며, 이에 대한 책임 및 의사 결정에 대한 권한은 각 지역 성(省)의 보건 위생 관련 국가기관 내 보건행정부서에게 있다. 원격 진료에 대한 허용 범위는 원격 자문, 원격 모니터링, 전자 처방전 발급 등이 있으며, 원격의료서비스의 범위를 확대하기 위한 정책을 추진하게 되었다.

이후, 중국 국무원 국가보건위원회는 2018년 4월 '인터넷 + 의료 및 건강증진 촉진에 관한 의견'을 발표하였으며, 2018년 7월 '인터넷 진료 관리'에 관한 정책 가이드라인 형식의 시범사업 규정을 통지(고시)하였다. 규정은 총 3가지로써 '인터넷 의료 관리 방안', '인터넷 병원 관리 방안', '원격의료서비스 관리 규범'으로 구성된다. 이 중, '인터넷 의료 관리 방안'에 대한 주요 내용은 환자 안전 및 개인 정보 보호, 의료의 질 관리와 더불어 인터넷 진료 시행 의료기관 내 담당 의료진에 대한 안면 인식·인체 특성 인식 기술을 활용한 의료인의 정보 관리 강화, 인터넷 진료 및 처방의 허용 범위에 대한 내용으로 구성되어 있다.

'인터넷 병원'은 실제로 진료를 하고 있는 의료기관 내에서 별도로 운영하는 '인터넷 진료'의 형식을 띄고 있으며 '인터넷 병원'에서 이루어지는 진료는 같은 병원에서 사전에 대면 진료를 받고 확실한 진단명을 받은 재진 환자일 경우에만 가능하며, 진료의 범위는 대면 초진에서 질병에 대한 진단을 받은 일반적인 질병 및 만성질환에 대해서만 온라인 처방이 가능하다.

온라인 처방전은 의사의 전자 서명이 있어야 하며, 원내 심사 부서 내 약사의 승인 후, 발행이 가능하다. 인터넷 병원에서는 진료 시, 마약 및 향정신성 의약품, 기타 특수 관리 의약품에 대한 처방을 할 수 없다. 또한, 6세 미만아를 위한 어린이 의약품 처방 시, 보호자가 함께 동석해야 하며 반드시 해당 진료과의 전문의가 처방해야 한다.

원격의료를 시행하기 위해서는 각 지역 내 의료기관 및 의료기관 내 인터넷 의료 담당의사가 각 지역 성(省) 내 보건 위생 관련 국가기관에서 '인터넷 병원' 지정 및 운영에 관한 허가를 받아야 한다. 허가 받은 의료기관 내 인터넷 진료 담당 의료인도 별도로 두어야 하며, 해당 의료인에 대한 자료는 안면 인식 시스템에 의해 엄격히 관리되고 있다.

중국은 코로나19 사태를 겪으며 방역을 위해 원격의료를 최대한 활용하는 방향으로 정책을 수립하였으며, 원격의료에 관한 규제를 완화해 나가고 있다. 중국 산업정보기술부 국가보건위원회 사무국에서는 2020년 10월 '원격의료 네트워크 역량 강화에 대한 통지'를 발표하며 인터넷 병원의 진료 및 운영 발전을 위한 노력을 가속화 하고 있다. 현재 중국에서는 2급 이상의 병원이 온라인 예약 진료를 시행하고 있으며, 2021년 3월 기준 중국 내 1,100곳 이상의 3급 온라인 병원과 2급 병원 중 7,700여 곳의 의료기관이 온라인 서비스를 제공하고 있다.

인터넷 병원 운영 관련 법률은 중국 의사법 제 30조[115]에 의거하여 2022년 3월부터 정식 적용될 예정이며, 세부 내용은 '의료종사자는 국가 관련 규정에 따라 인터넷 및 기타 정보 기술을 통해 적절한 의료 및 보건 의료서비스를 제공할 수 있다. 국가는 인터넷 등의 정보 기술을 이용하여 의료기관 간의 원격의료에 대해 협조하고 지원한다'고 명시되어 있다. 이 법률은 2021년 8월 전국 인민대표대회 상무위원회 제 30차 회의에서 정식으로 채택되었다.

가) 원격의료 제공 방식

① 국가 주도의 '전자 의무기록 통합 관리 시스템' 구축 시도 중

중국 정부에서는 자국 내 전자 의무기록 통합 관리 시스템 구축에 대한 필요성을 인지하고 있으며, 관련 시스템 구축을 위한 시도를 하고 있다. 베이징 보건건강위원회는 2017년 베이징 지역 30여개 병원을 대상으로 전자 의무기록 공유 강화에 대한 시범 사업 대상 병원에 설치하였으며, 환자의 의무기록을 공유하는 방식으로 시스템을 운영하였다. 이 시스템 접속 시에는 반드시 환자의 동의가 필요하며, 환자 의무기록은 최근 3개월 이내의 정보만 확인이 가능하였다.

이후, 해당 사업에 대한 추가 정책 추진이 이루어지지 않고 있었으나 2021년 11월 국가 보건 및 건강위원회에서 '전자 의무기록 데이터 공유 촉진'에 대해 향후 재무부 및 산업정보기술부 외 관련 부서와 협력하여 지원 정책 방안을 강구하겠다고 발표하였다.

② **원격의료 앱**

중국에서 원격의료 서비스 제공 앱으로 가장 많이 사용되고 있는 '평안 굿 닥터' 앱 서비스를 만든 원격 진료 기업 '평안 헬스케어'는 평안 보험 그룹사의 자회사이며 2015년에 설립되었다. 평안 굿 닥터 앱 내에는 평안 그룹 소속 의사들과 전략적 제휴를 맺은 대형 병원 소속 의사들이 함께 의료 상담을 진행하며, 일반의 상담(진료 전 상담) 및 전문의 상담, 오프라인 병원 예약 서비스 등 진료와 관련된 각종 서비스를 앱을 통해 제공한다.

평안 굿 닥터 앱 내에서는 의사가 환자의 질병에 대한 진단을 내릴 수 없으며, 환자의 건강 상담 시, 발병 가능성이 있는 질환들에 대해 채팅으로 상담을 받을 수 있다. 환자가 병원 내원을 희망할 경우, 환자에게 해당되는 진료과에 대해 상담 받을 수 있으며, 전문의에게 의료 상담을 받고자 하는 경우, 평안 굿 닥터에 등록되어 있는 전문의에게 일정 금액의 상담료를 내면 전문 의료 상담을 받을 수 있다. 평안 굿 닥터에서는 앱 내부에 등록되어 있는 '인터넷 약국'도 운영 중이며 의사에게 상담을 받고 약 처방을 희망할 경우, 인터넷으로 약 구매가 가능하나 주로 일반의약품에 준하는 약들이 대부분이다. 약을 구매할 경우, 인터넷 약국 내 약사에게 복약에 관한 지도를 받을 수 있으며, 약은 택배로 배송 받을 수 있다.

평안 굿 닥터 이외에 현재 중국에서 개발된 원격의료 앱은 위 닥터, 알리 건강, Haodaifu, DXY 등이 있으며 모두 민간 기업에서 개발했다. 처방약 배송이 가능한 기업은 평안 헬스케어, 위닥터, 알리 건강 3곳이다.

나) 원격의료 수가

2020년 3월 2일 중국 국가의료보장국 및 국가위생건강위원회는 <코로나19 방역기간 중 인터넷 플러스 의료보험 서비스 추진에 관한 의견>을 발표하고 인터넷 병원을 설립하거나 인터넷 진료 활동을 허가 받은 의료기관은 인터넷 재진 진료비가 건강보험 적용 범위에 포함된다고 공표하였다.

2020년 10월 국가 의료보험국은 <인터넷 + 의료서비스의 건강보험 적용 추진을 위한 지침>을 발표하였으며, 인터넷 의료 제공에 대한 건강보험 지불 범위를 확장하기 위한 계획 추진과 더불어 온·오프라인 의료비에 대해 같은 의료 수가 정책을 시행하여 공정한 경쟁을 장려하겠다는 방침을 밝혔다.

중국의 진료비 지불제도는 한국과 비슷하며 진료 후, 전체 진료비의 50%를 본인부담금으로 지불한다. 중국은 의료보험 기금에서 사회보장카드(社保卡)에 의료보험 적용 진료비를 사전에 입금해주는 시스템이며 환자는 의료기관 진료 후 결제 시, 이를 체크카드처럼 사용하는 구조이다. 인터넷병원에서 원격의료를 받았을 경우에도 마찬가지로 사회보장카드를 이용하여 온라인 상에서 진료비 본인부담금만 결제하면 된다.

다) 원격의료 관련 법

중국은 보건의료체계의 의료서비스 접근성 향상을 위해서 원격의료 도입을 오랫동안 추진해 왔다. 그러나 오랫동안 원격의료 도입을 위한 노력을 한 것에 비해 법적 정비나 정책의 시행은 다른 국가보다 상대적으로 늦은 편이다. 중국은 공산권 국가이므로 원격의료 관련 정부의 기본 원칙은 국가위생건강위원회(国家卫生健康委员会)에서 결정한다.

2014년 국가위생가족계획위원회에서 '의료기관의 원격의료 서비스 추진에 관한 의견(国家卫生计生委关于推进医疗机构远程医疗服务的意见)을 발표하였는데, 이 의견 발표로 인해 의사와 환자 간 원격의료가 허용되었고, 원격의료 서비스의 내용과 절차가 구체적으로 명시되어 원격자문, 원격모니터링, 전자처방전 발급이 가능해졌다. 이후 2015년 양회를 계기로 '인터넷+행동의 적극 추진에 대한 지침(关于积极推进"互联网+"行动的指导意见)'의 정부 정책에서 공식적으로 원격의료를 중국 보건의료분야의 새로운 발전 방향으로 선포하였다. 이 지침에는 "제3의 기구가 의학영상, 건강기록물, 검사보고서, 전자차트 등 의료정보 공유서비스 플랫폼을 구축하고, 병원 밖에서 의료데이터를 공유 및 교환할 수 있는 표준체계를 점진적으로 구축하며, 이를 지원하여야 한다."고 명시하고 있는데, 여기에서 말하는 '제3의 기구'가 의료기관 만을 명시하고 있지 않고, 기타 동 의료정보를 공유하고자 하는 기관을 포함하고 있기 때문에 정보의 공유로 인하여 발생할 수 있는 개인정보보호 등이 문제의 소지가 있는 지침이라는 비판이 있다.

2016년 6월 국무원 총무실에서 발간한 '보건의료 빅데이터 응용 발전의 촉진 및 규제에 관한 지도의견(关于促进和规范健康医疗大数据应用发展的指导意见)'에서 중국 정부는 원격의료 시행에서 중요한 의료정보 공유에 대한 근거를 마련하고 위해 2020년까지 개방형 의료정보센터를 단계별 구축하고, 의료정보 데이터를 부서 및 지역 간 공유하여 의료, 의약품, 의료보험 및 기타 의료 분야의 데이터 융합을 목표로 원격의료 정책을 추진하였다.

2018년 4월, 국무원 판공청은 '인터넷+의료건강'의 발전촉진에 대한 의견(关于促进"互联网+医疗健康"发展的意见)을 발표하였는데, 인터넷과 의료건강의 긴밀한 통합을 촉진하기 위한 정책을 마련하였다. 이 정책에는 중국 원격의료의 법적 규정이 되는 인터넷진료 관리방법, 인터넷병원관리방법, 원격의료 서비스 관리규범 등의 시행 계획이 포함되었다.

2019년 국가위생가족계획위원회와 국가중의학관리국(国家中医药局)은 공동으로 '2019년 의료서비스 개선을 위한 실행계획 관한 핵심 업무 방안(2019年深入落实进一步改善医疗服务行动计划重点工作方案)'을 발표하였는데, 이 방안에는 원격의료의 제도를 개선하여 원격 의료서비스의 범위를 확대하고, 3급병원에 원격의료센터를 설립하여 그 지역의 거점으로 활용하므로 주변의 의료기관에 도움을 제공하도록 하였다. 중국은 「의사법(医师法)」 제30조에서는 집업의사(执业医师)는 국가의 관련규정에 따라 소재지 의료위생기구의 동의를 거쳐 인터넷 등 정보기술을 통해 만성질환, 일반적인 질환 등에 대하여 의료위생서비스를 제공할 수 있다고 규정하고 있다. 또 국가는 이러한 의료위생기구 간의 인터넷 등 정보기술을 이용한 원격의료 협력을 장려한다고 명시하고 있다.

3) 일본

일본은 1997년 당시 일본 후생성(현재 후생노동성)이 '원격진료는 어디까지나 직접 대면 진료를 보완'하는 것이라는 통지문을 발표한 이후 '원칙적으로 직접 대면 진료'를 기본 방침으로 상정했다. 이후 2008년 총무성과 후생노동성의 공동간담회에서 생활습관병 등을 원격의료의 대상으로 하고 진료보수 설정해야 한다는 제안이 나오기는 했으나 2018년에 이르러서야 진료보수에 온라인 진료료 등이 신설되었다.

2018년 진료보수개정 시 신설된 온라인 진료료는 특정 환자 요양관리료, 지역포괄진료료 등을 산정하고 있는 초진 이외의 환자가 주된 대상이다. 반면, 본 개정에서는 전화 등 재진이 긴급시 환자가 요구하고 지시하는 경우에만 한정되면서 정기적인 의료관리를 전제로 하는 경우의 전화를 통한 재진은 산정이 될 수 없었던 것도 문제점으로 손꼽힌다. 이에, 2020년 진료보수개정에서 온라인 진료료 관련 대상 질환이 확대되기는 했으나, 진료 보수상의 수당이 포함되지 않는 경우도 발생했다. 이후 이는 2020년 4월의 조치로 해소되었다.

일시	내용
1997.12	• '원격의료는, 어디까지나 직접 대면 진료를 보완하는 것으로 추진되어야 한다', '초진 및 급성 질환에 대해서는 원칙적으로 집적대면 진료를 추진할 것' - 대상의 예시: 외딴섬, 벽지, 만성질환 환자 등 병증이 안정되어 있는 환자
2003.03	• 대면 진료와 적절하게 조합되어 시행될 시에는 원격진료에 의해서 지장이 발생하지 않을 것이라는 점을 확인
2008.07	• 원격의료의 추진방책에 관한 간담회(총무성·후생노동성)의 중간결산(2008년 월 31일) - '만성기 (재진), 건강관리, 예방의료, 생활습관에 관한 것'에 대해서는 기본적으로는 원격의료가 선택 가능하다는 것을 명확하게 할 필요 - 원격의료에 관한 진료보수를 적절하게 활용하는 것을 검토할 필요성 제기
2015.08	• 외딴섬, 벽지는 어디까지나 예시임을 확인
2017.04	• 아베 총리 - '병이 났을 때, 중증화를 막고 조속한 회복을 도모하기 위해, 주치의에 의한 계속적인 경과관찰이 중요하다. 대면 진료와 온라인으로 원격진료를 적절히 섞는다면 이를 무리 없이 효과적으로 받을 수 있다. 이러한 새로운 의료를 다음의 진료보수개정에 분명히 평가하겠다.'
2017.07	• 보험자가 실시하는 금연 외래에 대해서 대면 진료의 필요성과 관련해 유연한 취급이 가능하다는 점을 확인
2018.03	• '온라인 진료의 적절한 실시에 관한 지침'에서는 초진은 대면 진료가 원칙임을 명시

[표 30] 코로나 19 발생 이전 일본의 원격의료 관련 정부 입장의 변화

일시	내용
2018.04	• 진료보수개정을 통해 온라인 진료료 등을 신설
2018.06	• 국가전략특구 - 외딴섬, 벽지에서의 원격 내복약 지도계획 인정(아이치, 효고현 및 후쿠오카) → 약제 복용력 관리지도의 수가 산정 가능화 (실시는 2019년 2월) • 규제개혁실시계획 (2018.6.15. 각의 결정) - 온라인진료에 의한 초진 취급의 명확화 : 초진은 대면 진료가 원칙인 것을 명확히 한가운데, 온라인진료에 의한 초진이 적법할 수 있는 사례를 가이드라인에 명기(조치 완료)

[표 31] 코로나 19 발생 이전 일본의 원격의료 관련 정부 입장의 변화

최근 일본에서는 일본 정부가 발표한 '신형 코로나바이러스 감염증 대책 기본 방침(2020.2)'에 근거해 만성질환을 보유한 정기방문환자에 대해 온라인진료 및 처방이 가능해졌다. 이에 따라 ① 의사로부터 정기적으로 치료를 받아서 지속적으로 의약을 처방받았던 만성 질병 환자들에 대해서는 원격의료 계획 여부와 관계없이 원격진료, ② 새롭지만 예측 가능한 징후가 만성질환 환자에게 나타날 경우 상이한 처방, ③ 코로나 19 전염이 확산될 경우, 징후가 심각하지 않아 자택격리 중인 코로나 19 환자들에 대한 원격의료 등이 허용된다. 단, 해당 기본 방침 발표 시점인 2020년 2월에도 초진 대면 원칙은 동일하다.

이후, 후생노동성은 코로나 19에 대한 한시 긴급 조치로 의사들이 직접 대면하지 않고도 환자에 대한 진단과 처방을 추진할 수 있다고 판단할 경우에 한해 초진환자에 대한 원격의료를 허용한다는 고시문을 발표했다. 해당 고시문에서는 의사가 초진 시 원격의료를 활용할 경우, ① 원격의료 서비스에서 비롯될 수 있는 리스크와 만약 이 같은 리스크가 현실화됐을 경우 취해야 할 행동 등에 대해서 충분한 정보제공 ② 필요시 원격의료를 대면 처방으로 전환, ③ 환자 신원의 신중한 확인 등을 의무화했다.

본 고시문에 의거하여 일본 정부는 2020년 4월 13일 이후 초진환자에 대한 원격진료를 허용했다. 이에, 의사는 '진단과 처방이 해당 의사의 책임 하에서 의학적으로 가능하다고 판단되는 범위 안에서' 이를 수행하고 진단 이력이 없는 환자에 대해서도 이같은 대응이 가능해졌다. 또한, 이를 통해 '전화 및 정보통시기기를 활용한 진료'에 대응 가능한 의료기관 리스트가 후생노동성 홈페이지에 공개됐으며 이를 이용하는 데 있어서는 평상시에 적용되는 지리적 요건이 부과되지 않았다는 것이 특징적이다.

일시	내용
2020.02	• 신형 코로나바이러스 감염증 대책의 기본 방침 (2월 25일) - 감기 증상이 없는 고령자와 기저 질환자에 대한 계속적인 의료·투약 등에 대해서는 감염방지의 관점에서 전화에 의한 진료 등에 의해 처방전을 발행하는 등 의료기관에서 진료를 받지 않아도 좋은 체제를 사전에 구축 • 신형 코로나바이러스 감염증 대응 - 신형 코로나바이러스 감염증 의심환자에 대해서 온라인으로 초진을 행하는 것은 곤란 (원격건강 의료 상담과 온라인진료권장은 지속) - 만성질환을 보유한 정기방문환자에 대해 온라인진료를 행하고 전화 등 재진을 산정하여 처방을 행하는 행위는 가능
2020.03	• 신형 코로나바이러스 감염증 대응 - 주치의의 판단으로 이미 진단되어 치료 중의 환자의 증상 변화에 대해서는 진료계획을 변경한 후 전화 및 온라인진료에 의한 약제의 처방 가능 (대면 필요 없이 새로운 증상에 대해서도 대응 가능) - 감염이 확대된 경우, 신형 코로나바이러스 양성환자 중 무증상·경증 환자에 대해 대면진료에 의한 진단 후, 재택에서 안정·요양이 필요한 기간 중, 전화에 의한 상담과 온라인진료 등을 활용해서 재택에서 경과관찰 가능
2020.03	• 아베 총리 - '의사, 간호사를 원내감염리스크로부터 지키기 위해서도 온라인진료를 활용하는 것이 중요' (경제재정자문회의, 2020.3.31.) • 경제재정자문회의 전문가의원제출 자료 - 원격의료·의약품복용지도 관련 사회변혁을 일거에 추진해 나갈 필요성 제기
2020.04	• 2020년도 진료보수개정 - 온라인 진료료 등의 요건을 개정하고 대상 환자 확대 - 온라인 의약품 복용 지도의 평가 (2020년 9월부터) • 초진대면 원칙의 한시적 완화 (2020년 4월 7일 규제개혁추진호의 결정) • '신형 코로나바이러스 감염증 긴급경제대책'(2020년 4월 7일) - 초진대면 원칙의 한시적 완화 - 1개월당 온라인 진료료 산정횟수 비율 제한(1할 이하)의 개정 • 초진대면 원칙의 한시적·특례적 대응 - 이하 사례에 대해서는 대응 가능 (정보통신기기, 전화 등) ① 이미 진단되어 치료 중의 만성환자로 정기검진 중의 환자에 대해서 새로운 별도의 증상에 대해 진료 및 처방을 행하는 경우 ② 과거 검진 이력이 있는 환자에 대해서, 새롭게 발생한 증상에 대해서 진료 및 처방을 행하는 경우 ③ 과거에 검진 이력이 없는 환자에 대해서 진료를 행하는 경우 (초진 대면 원칙의 완화) ④ 과거에 검진 이력이 없는 환자에 대해서, 주치의로부터 정보제공을 받아서 새롭게 나타난 증상에 대해서 진단·처방을 행하는 경우 • 온라인 진료의 한시적·특례적 대응을 치과로 확대

[표 32] 코로나 19 발생 이전 일본의 원격의료 관련 정부 입장의 변화

이처럼 일본에서는 한시적·특례적인 원격의료 행위 활성화를 위한 여건이 마련되었지만, 이와 같은 상황이 코로나바이러스 판데믹이 정리된 이후에도 지속될 지는 미지수다. 2020년 5월 19일 개최된 국가전략특구 자문회의에서 아베 총리는 '온라인진료를 필두로 사회의 모든 분야에서 원격대응을 일거에 진전시킴으로써 미래를 선취하는 새로운 일상을 만들고 싶다'라고 설명했다. 실제로 동일한 자문회의 전문가의 상당수는 '신형 코로나바이러스 사태가 종식된 이후에도 현행과 같은 온라인진료가 가능하도록 해야 한다.'는 입장을 피력하기도 했다.

이후 2021년 8월 사회보장심의회 의료부회에서는 온라인 진료의 적정성 및 의료에 대한 국민의 접근성 향상을 도모하기 위하여 '온라인 진료 특례 조치의 항구(恒久)화'에 대해 공표했다. 이로써 일본에서는 원격의료(온라인 진료)가 영구적으로 허용되었다.[28]

가) 원격의료 제공 방식[29]

2020년 5월 일본 총무성에서 공표한 원격의료 모델 참고서(온라인 의료판)에 따르면, 의료인-환자 간 원격의료 모델은 ① 의사-환자 간(D to P), ② 의사-환자-의사(D to P with D), ③ 의사-환자-간호사(D to P with N) 총 3가지 종류이다.

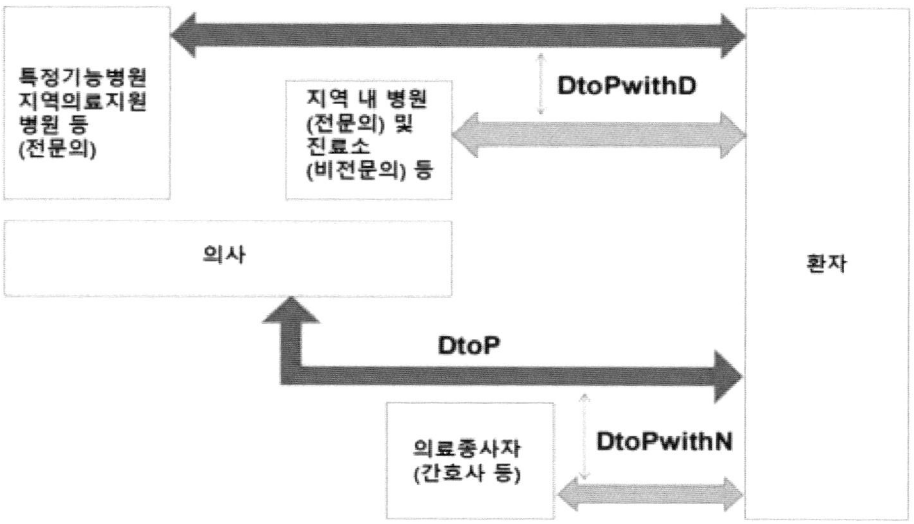

[그림 53] 일본의 의료종사자-환자 간 원격의료 실시 이미지

의사-환자 간(D to P)는 의료인-환자 간에 이루어지는 원격의료의 대표적 모델이다. 일본 내에서 이루어지는 원격의료는 현재 후생노동성에서 사용 용어를 변경함에 따라 현재 '온라인 진료'라는 용어로 통용되고 있는데 이러한 온라인 진료의 영역 외에 최소한의 의학적 판단을 포함하는 '온라인 진료 권장'의 영역이 있으며, 의학적 판단이 동반되지 않을 경우, '온라인 건강의료 상담'의 영역으로 구분한다.

28) 원격의료 정책 현황과 대응방안 연구, 의료정책연구소, 2022.04
29) 원격의료 정책 현황과 대응방안 연구, 의료정책연구소, 2022.04

또한, '진료 전 상담'의 영역도 존재하는데 의사-환자 간 실시간 의사 교환을 통해 의사가 환자의 증상 및 의학적 정보를 확인하는 행위이며 진단, 처방 및 기타 진료 행위는 포함되지 않는다. '진료 전 상담'은 진료 수가 산정을 할 수 없지만 진료 전 상담 기록은 가급적 보존해 두도록 권장하고 있다.

온라인 진료 시, 주치의 등의 의사와 함께 있는 경우에 실시하는 D to P with D(Doctor to Patient with Doctor)모델 및 환자가 간호사 등과 함께 있는 경우에 시행되는 D to P with N(Doctor to Patient with Nurse)온라인 진료 모델이 있다. D to P with N 모델은 환자의 동의하에 온라인 진료 시, 환자는 간호사 등과 함께 있는 상태에서 진료를 받으며 의사는 간호사 등에게 진료의 보조 행위를 지시함으로써 예측된 범위 내에서의 치료 행위 및 예측되지 않은 새로운 증상에 대한 검사를 간호사 등을 통해 할 수 있도록 하는 모델이다.

온라인 진료를 받고자 할 경우, 환자는 자신이 거주하는 지역의 진료소·병원 주치의에게 먼저 진료를 받도록 되어 있으며, 의사의 적절한 판단 하에 초진부터 온라인 진료가 가능하다. 온라인 초진에 대한 약 처방 시에는 충분한 검토가 필요한 약제의 경우, 일본의학회 연합이 '온라인 진료의 초진 투여에 대해 충분한 검토가 필요한 약제' 등 관련 학회가 규정한 진료 가이드라인을 참고해야 한다. 또한, 마약 및 향정신성 약물은 처방이 금지되어 있으며 기초 질환 등 정보가 파악되지 않은 환자에 대한 처방은 7일분까지만 가능하다. 또한, 수면제, 체중 감소를 목적으로 사용되는 이뇨제 및 당뇨병 치료제, 미용을 목적으로 사용될 수 있는 보습크림 등 특정 의약품에 대한 부적절한 사용이 의심될 경우에도 처방이 금지된다.

나) 원격의료 수가

2022년 진료 수가 개정에서는 초진부터 온라인 진료가 가능해짐에 따라 '온라인 진료료'에 대한 초진 수가가 신설되었다. 2020년 4월 한시적 특례로써 산정할 수 있었던 온라인 초진료 수가는 214점에서 251점으로 인상되었다. 또한, 대면 재진료 수가와 같은 점수로 임시 책정되었던 온라인 진료료 71점을 폐지하였으며, 올해 신설되는 온라인 재진료는 대면 진료와 같은 점수인 73점으로 결정되었다. 이번에 개정된 수가는 2022년 4월 1일부터 적용되고 있다.

다) 원격의료 관련 법

일본 의사법 제20조에서는 "의사는 자신이 직접 진찰하지 않고 치료하거나 진단서 또는 처방전을 교부하거나 자신이 출산 장소에 직접 입회하지 않은 상태에서 출산증명서 또는 사산증명서를 교부하거나 자신이 검안하지 않고 검안서를 교부해서는 아니 된다"고 규정하고 있다. 이에 원격진료는 동조에서 말하는 '직접 진찰'에 해당되지 않는다는 논란이 지속됨에 따라 원격의료는 활성화되지 못했다.

이후 1997년 후생노동성의 통지를 통해 의료인 간 자문 형태의 원격의료행위에서 산간·벽지 등에 거주하는 환자에게 화상 등을 통한 진료를 허용하는 원격진료를 제한적으로 허용하였다.

이후 원격의료에 관한 용어는 온라인 진료로 통용되어 사용되고 있다. 2018년 3월 '적정 온라인 진료 시행에 관한 지침서'를 공표한 이후 최근 22년 4월 적정 온라인 진료 시행에 관한 지침 개정을 통해 온라인 진료 시행에 관한 내용을 명확히 하였다.

일본 의료법 제1조의2 제2항에서는 의료를 제공받는 장소로 병원, 진료소, 개호노인보건시설, 조제하는 약국 등 의료를 제공하는 시설뿐만 아니라 의료를 받는 사람의 자택도 의료시설을 받을 수 있는 곳으로 포함하고 있다. 의료법에서 원격의료 제공 장소 등에 대해 규정하고 있으나 원격의료에 관한 시행 방식 등 허용되는 원격의료의 유형, 허용 방식, 원격의료 대상 등에 대해서는 지침을 통해 구체적으로 가이드라인을 제시하고 있다.

4) 영국

국가 주도형 의료서비스를 제공하는 영국은 고령화율이 2019년 기준 약 18%에 달하고 있으며, 75세 이상 인구의 75%가 만성 폐쇄성 폐질환(COPD)이나 당뇨병 등 만성질환을 앓고 있다. 2030년에는 발병률이 두 배로 증가할 것으로 예상되며 현재 의료서비스에 대한 수요가 매년 4%씩 증가하고 있는 상황이다. 또한, 증가하는 의료비와 함께 만성질환에 대한 지속적인 모니터링이 필요한 환자의 수요도 지속적으로 증가하고 있으며, 외딴 시골 지역에 거주하는 고령자들에 대한 의료접근성 문제 및 각 지역별로 제공되는 의료서비스의 수준이 다르다는 문제점을 안고 있다. 이러한 문제를 해결하기 위해 국민의 의료 접근성 향상 및 인구의 고령화에 따라 증가하는 보건의료비 예산을 절감하기 위한 방안으로 원격의료를 추진하게 되었다.

영국 정부는 2019년 1월 NHS 장기 계획(Long-term Plan)을 발표함과 동시에 향후 5년 이내에 모든 환자가 전화나 온라인을 통해 1차 의료(GP) 상담에 접근할 수 있도록 원격의료 서비스 개발을 지원하였다.

코로나 발생 이전까지는 원격의료 서비스 제공 비율이 높지 않아 1% 미만에 그칠 정도로 미미하였으나 코로나 발생 이후, NHS는 2020년 3월부터 일반의에게 예약된 진료를 전화 또는 화상으로 대체하도록 권장하였으며, 현재까지 일반의를 중심으로 제공되는 1차 의료에 대한 원격의료 서비스 이용이 지속적으로 증가하고 있는 추세이다. 이에 따라 영국 정부는 2023~2024년까지 원격의료를 NHS 표준(Standard of care)으로 만들겠다는 계획을 발표하면서 원격의료 확대를 지원하고 있다.

가) 원격의료 제공 방식

① 국가 주도의 '전자 의무 기록 통합 관리 시스템' 구축

영국은 정부 주도 하에 국가에서 관리하는 '전자 의무 기록 시스템' 구축과 더불어 원격 진료용 NHS 앱 개발을 추진하고 있다. 2000년 ICT법에 해당하는 '전자통신법(Electronic Communications Act)'이 통과됨에 따라 전자 의무 기록의 전송 등에 관한 법안이 마련되었다. 2002년에는 60억 파운드의 예산을 투자하여 국가프로그램 National Programme for IT (NPfIT) 구축을 통해 NHS(National Health Service)의 IT화를 위한 시도가 있었으나 프로그램 개발의 지연 및 개인정보보호 문제로 인한 이해관계자의 반대 등에 의해 폐지되었다.

이후, National Programme for IT(NPfIT)는 보건사회복지정보센터(Health and Social Care Information Centre, HSCIC)83)에게 인수되었으며, 2013년 4월 1일에 보건사회복지법에 따라 HSCIC가 공공기관으로 바뀌면서 2016년 7월 NHS Digital로 명칭을 변경하여 설립하였다. 현재 NHS Digital은 영국의 보건의료 정보 인프라 구축과 더불어 보건의료데이터의 수집 및 활용, 보안까지 담당하고 있는 기구이다.

영국의 보건사회복지부는 개인 정보 보호 관련 기관인 데이터 보안센터(Data Security Centre)등과 함께 환자의 의료 정보 수집에 대한 NHS Digital의 법적 권리에 대해 설명하고, 환자에게 개인 정보 공유에 대해 거부할 권리가 있음을 명시했다.

영국인들은 자신이 사는 지역에서 주치의를 정하여 등록한 후 1차 의료를 제공 받게 되면 환자의 진료 기록은 모두 NHS Digital 사이트 내 의무 기록 시스템에 해당하는 SCR(Summery Care Record)을 통해 자동 생성되며, 환자 본인이 이 시스템에서 탈퇴(Opt out)하지 않는 이상 이 시스템은 영구적으로 저장되어 다른 의료진들에게 공유된다.

SCR은 GP 진료소의 전자 의무기록 시스템을 통해 자동 생성되며 NHS Digital 사이트 내 'Spine' 웹 포털 서비스에 진료 기록 관련 내용이 업로드 된다. 암, 희귀질환 등에 대한 정보도 NHS Digital 내 국가 질병 등록 서비스(National Disease Registration Service=NDRS)에 등록되며, 개인정보보호를 위해 자신의 진료 기록 및 암, 희귀질환 등에 대한 정보가 국가 질병 등록 시스템에 저장되는 것에 대해 거부하고자 할 경우, NHS Digital 홈페이지 내에 있는 탈퇴(Opt out) 서류 양식을 다운로드 하여 작성 후 홈페이지 상에 안내되어 있는 이메일 주소로 본인의 신분증 2부와 함께 전송하면 된다.

② 원격의료 앱

영국에서는 2018년 12월 31일부터 NHS 앱을 통해 정부 차원에서 국민들이 보건의료서비스에 접근할 수 있도록 정책을 추진하고 있다. 인구 밀도가 가장 높은 잉글랜드와 웨일즈 주 정부는 NHS 앱을 공개하여 환자의 증상 입력, 외래 예약, 복용약 반복 처방 주문, 의무 기록 정보 접근 기능과 같은 기초적인 의료 앱 서비스를 제공하고 있으며 2,200만 명 이상의 사용자를 보유하고 있다.

2021년 5월 17일 NHS COVID Pass가 추가된 이후, 1,800만 명 이상의 신규 등록이 이루어졌다. 모바일 플랫폼인 NHS 앱을 통해 2019년 7월부터 영국의 모든 1차 병원(General Practice GP)이 NHS 앱과 연결되어 있으며, 모든 국민이 이 앱을 통해 자신의 진료 기록에 대한 열람이 가능하다. 또한, 장기 복용하는 약은 자동으로 처방전을 발급 받을 수 있다.

NHS 앱 'GP at hand'는 영국 민간 기업 바빌론(Babylon)에서 개발하였으며 영국 정부는 이 앱 사용에 대한 충분한 검증 작업을 거쳐 사용을 승인하였다. 'GP at hand'는 온라인으로 GP를 만날 수 있는 24시간 온디맨드(Ondemand)형 원격의료 시스템이며, 이 앱에 접속하면 영국 환자들은 AI 챗봇에 의한 채팅 상담을 통해 원격의료로 연계되거나, 이를 기반으로 대면 진료를 받을 수 있다.

원격의료로 연계되면 예약시간에 맞춰 바빌론 GP가 환자에게 영상 전화를 걸어 진료를 받을 수 있다. 'GP at hand'에 등록하는 것도 GP를 지정하는 것과 마찬가지이기 때문에 이 앱에 등록하려면 기존에 등록되어 있던 다른 GP가 있을 경우 취소해야 한다. 'GP at hand'는 진찰 후 처방전을 사용자가 등록해 놓은 약국으로 바로 보내주며 필요 시, 자택으로 약 배송도 가능하다. 약 처방 시, 마약 및 향정신성 의약품 등 중독성의 위험이 있는 의약품에 대해서는 처방을 금지하고 있다. 바빌론 소속 GP들은 주로 재택근무를 하며 원격의료를 하고 있으며, 오프라인 진료소도 5곳이 있어, 대면 진료도 가능한 시스템이다.

바빌론은 NHS와의 계약 협정을 통해 NHS의 예산을 지원받는 구조이며, 바빌론 소속 GP들은 대면진료와 마찬가지로 진료 후, 인두제(Capitation) 수가로 보상 받는다. 그 외 바빌론과 NHS 측이 합의한 모든 협정 사항은 상업적으로 민감한 정보이므로 공개하지 않고 있다. GP at hand 이외에 영국에서 NHS와의 계약 협정을 통해 개발된 앱은 Push Doctor, Docly 등이 있다.

나) 원격의료 수가

국가 주도형 의료서비스를 제공하는 영국에서는 환자의 원격의료 진료비가 없으며, 환자들은 NHS 앱을 무료로 다운받아 원격의료를 받는다. GP는 자신에게 등록된 환자에게 원격으로 진료해주며, 수가는 대면 진료 수가와 마찬가지로 영국 NHS 측과 국가 표준 계약에 해당하는 GMS(General Medical Service)계약에 의해 인두제(Capitation)로 받는 구조로, 대면진료와 원격의료의 수가는 동등하다.

NHS는 Digital first primary care fund를 올해에 이어 2023년까지 향후 연간 1,500만 파운드의 추가 기금을 지속적으로 지원하기로 하였다. Digital first primary care fund은 영국에서 가장 인구밀도가 높은 잉글랜드 지역의 온라인 보건시스템을 지원하는데 사용될 예정이다.

다) 원격의료 관련 법

영국은 유럽지역에서 가장 선진화된 원격의료 서비스를 제공하고 있으나 원격의료를 규제하는 특정 법률은 존재하지 않는다. 이는 원격의료를 대면 방식의 진료와 동일한 의료서비스를 제공하는 수단 중 하나라는 인식에서 기인한 것이라 할 수 있다. 이에 의료전문가들은 기존의 대면 방식 의료서비스를 제공하기 위해 적용받는 의료 관련 법률, 면허 및 등록의무 등을 동일하게 적용받는다. 하지만, 의료서비스 규제기관 중 하나인 CQC(Care Quality Commission)에서 원격의료서비스에 대해 지속적으로 제기되고 있는 장기(Long-term) 환자에 대한 정확한 진단 및 의료행위 가능성과 환자의 민감한 개인정보보호 문제 등에 대한 우려 해소를 위해 전자통신법(Electronic Communications Act) 등 관련 법률의 보완 및 원격의료에 대한 구체적인 지침 등을 제공하고 있다.

전반적으로 영국의 원격의료에 대한 법제도적 접근은 원격의료가 빠르게 진화하는 의료분야이며, 그에 따라 규제하기도 어려운 분야이기에 기술적 진보에 따른 더 저렴하고 더 접근하기 쉬운 의료서비스인 원격의료를 부정하기보다는 기존 의료서비스와 유사한 의료서비스를 제공하는 수단으로서 의료 품질을 보장하기 위한 제도적 보완의 성격이 강하다고 할 수 있다.

5) 호주

국토 면적 전 세계 6위인 호주는 광대한 국토 면적과 외딴지역(Remote area)이 많은 지리적 특성을 갖고 있다. 미국과 마찬가지로 넓은 영토로 인하여 지역별 의료 수준이 다르며, 외곽 지역 의료기관 수의 부족으로 인해 의료 접근성에 한계가 있어 1980년대부터 원격의료에 대한 관심이 이어지고 있었다.

2000년대 초부터 의료 혜택을 받지 못하는 시민들을 위해 원격의료 활성화를 검토하였으며, 이에 대한 실행 조치로 2001년에 뉴질랜드와 함께 국가 원격의료 계획(National Telehealth Plan for Australia and New Zealand)을 발표하였다.

이후, 2011년 7월에는 원격의료를 장려하기 위해 원격의료 재정 지원 프로그램(telehealth financial incentive program) 등과 같은 원격의료 방안을 제시하였는데 원격의료 관련 장비를 설치한 병원은 투자금을 일부 지원받고 의사와 환자 모두 국가 의료보험인 메디케어(Medicare)의 혜택과 인센티브를 받을 수 있도록 하였다. 이처럼 원격의료 활성화 정책 추진을 바탕으로 원격의료를 위한 의료기관 내 인프라 구축에 성공할 수 있었다.

2015년부터는 연방 정부 예산을 투입하여 'My Health Record' 사업을 시행하기 위한 정책을 추진하였으며, 동시에 국가 디지털 헬스 관련 업무 전담 기관을 설립하기로 결정함에 따라 'Public Governance, Performance and Accountability (Establishing the Australian Digital Health Agency) Rule 2016'을 제정하였다. 이러한 법률에 따라 2016년 7월 1일 호주 디지털 보건국(Australian Digital Health Agency, ADHA)을 설립하게 되었다.

호주 디지털 보건국은 '국가 디지털 헬스전략(National Health Strategy)'의 지속적인 개발과 구현을 위한 목표 설정 및 실행 방안 수립, 'My Health Record' 시스템 운영 및 서비스 제공을 포함한 관련 시스템·서비스의 개발 및 운영, 디지털 헬스 관련 거버넌스 체계의 구축 및 운영, 기타 디지털 헬스 관련 국내·외 기관과의 협조 등 디지털 헬스 관련 전담기관의 역할을 수행하고 있으며 ① 사용자 중심의 디지털 의료, ② 개인 정보 보호 및 보장, ③ 신속한 협업 촉진 ④ 환자 안전 및 의료의 질 향상 문화 주도, ⑤ 의료 접근성에 대한 형평성 향상, ⑥ 기존 의료 자원의 활용 ⑦ 국가 예산의 효율적 투자 등 7가지 원칙을 바탕으로 디지털 헬스 전략을 개발해나가고 있다.

코로나19 발생 후, 자가 격리 등으로 인해 의료에 대한 접근성이 제한되자 호주 정부는 2020년 3월 모든 분야의 원격의료를 같은 해 9월까지 공공 의료보험인 메디케어(Medicare)에 포함시키는 정책을 발표 하였으며, 3차례의 연장을 거쳐 2021년 12월 말까지 한시 적용하였다. 또한, 2021년 12월에는 원격의료 발전 및 코로나19 백신 확보, 세계적 수준의 헬스 케어 및 의약서비스 제공을 위한 98억 호주 달러 규모 예산을 추가 투입하기로 결정하였다. 특히 신종 오미크론 바이러스의 등장과 관련해 5억 4,000만 호주 달러 규모의 투자가 추가적으로 이루어졌으며 이를 통해 고령자, 장애인, 의료접근성이 떨어지는 원거리 지역에 대한 건강 지원 정책을 강화하였다.

가) 원격의료 제공 방식

① 국가 주도의 '전자 의무 기록 통합 관리 시스템' 구축

호주의 원격의료 서비스는 주 정부와 연방 정부의 보안법 및 개인 정보 보호법에 따라 운영된다. 'My Health Record'는 나의 건강 정보를 한곳에 보관하여 스스로 안전하게 직접 관리할 수 있는 전 국민 건강 기록 통합 관리 시스템으로써 호주 국민의 대부분이 2018년까지 가입을 자동 완료하였으며, 2019년 1월 31일부터 MyGov100) 계정을 통해 자신의 건강 정보 열람이 가능해졌다.

'My Health Record'는 전 국민의 진료기록을 통합 데이터베이스에 저장하여 국민 개개인이 GP(General Practitioner) 또는 주치의를 변경하거나 갑자기 다른 의사에게 진료를 받아야 할 경우, 해당 환자의 진료 기록을 의사들이 열람할 수 있다는 취지에서 설립되었다. 그러나 일각에서 개인정보 유출에 관한 우려의 목소리가 높아지자 자신의 건강 기록 열람을 원하지 않는 사람들이 의무 기록 입력을 거부할 수 있도록 탈퇴(Opt out)기간을 미리 두어 'My Health Record' 가입 의사를 자유롭게 결정할 수 있도록 하였다.

호주에는 현재 사용되고 있는 'My Health Record'의 근간이 되는 법안에 해당하는 전자 의무 기록에 관한 법률(Personally Controlled Electronic Health Records)이 2012년부터 존재해 왔으나, 개인 정보 보호 강화를 희망하는 국민들의 요구에 따라 호주 의회는 2018년 11월 '(개인정보보호 강화를 위한) 나의 건강 기록 수정 관련 법안(My Health Records Amendment Bill 2018)개정안'을 통과시켰다.

② 원격의료 앱

호주에서 원격의료가 빠르게 확산할 수 있었던 가장 큰 요인은 2012년 호주 보건부의 투자를 받아 개발된 화상 진료 플랫폼인 헬스다이렉트(Healthdirect)가 있었기 때문이다. 코로나19가 대유행하던 시기에 헬스다이렉트에 대한 안전성이 이미 검증되어 있었기 때문에 환자와 의료진들이 즉시 이용할 수 있었다.

헬스다이렉트는 현재 Western Australia, Australian Capital Territory, South Australia, Victoria 주 정부의 헬스 케어 시스템 소속이며, 연방 정부의 예산을 지원받는 가상 공중 보건 서비스 시스템이다. 헬스다이렉트는 웹사이트, 앱, 전화 헬프 라인을 통해 건강 정보에 대한 어드바이스 및 거주지 인근 의료기관을 이용하고자 할 경우, 도움을 받을 수 있는 정부 지원 가상 건강 서비스이다.

의료진들은 헬스다이렉트 앱을 통해 고화질 영상으로 환자와 상담하고 의료에 필요한 정보를 열람할 수 있다. 헬스다이렉트는 지금도 병원과의 협업을 비롯하여 환자의 개인정보를 안전하게 관리하는 프로그램을 개발하는 등 다양한 노력을 기울이고 있다. 호주는 코로나19로 인해 헬스케어의 급격한 변화를 경험하고 있으며 원격의료는 단순히 화상 및 스마트폰을 통한 자문을 넘어 수많은 의료 행위가 가능한 단계로 변화하고 있다.

호주의 GP 및 전문의들은 헬스다이렉트 시스템을 무료로 사용할 수 있으며 환자들은 GP 진료, 재활치료, 심리 상담 등 일반 의료 서비스를 가정에서 원격으로 받을 수 있다. 또한, 온라인으로 약 처방이 가능하며 약사와 복약에 관한 상담 이후, 자택으로 약 배송을 받을 수 있는 시스템이다. 약 처방에 대한 제한 사항은 각 지역마다 법적으로 다른 기준을 적용하고 있으나 공통적으로 서 호주 지역을 제외한 모든 지역에서 'Schedule 8' 카테고리에 해당하는 마약성 진통제, 대마 성분 의약품, 항불안제, 진정제, 수면제, 항우울제, 마취제, 중추 신경 흥분제 등의 약물은 처방이 불가능하다. 헬스다이렉트 이외에 현재 호주에서 개발된 원격의료용 앱은 헬스다이렉트 이외에 민간 기업이 개발한 Instant consult, gp2u, Doctoroo, iCliniq 등이 있다.

나) 원격의료 수가

호주는 2022년에도 지속적으로 환자가 원격의료를 받을 수 있도록 MBS 표준 의료 서비스 목록(Schedule fee)에 따라 공적 건강보험에 해당하는 메디케어(Medicare) 급여가 적용된다. 2022년 1월 1일부터 적용될 원격의료서비스 항목을 공개했으며, 올해부터 더 이상 적용되지 않는 기존의 전화 진료 항목도 함께 명시하였다.

호주의 원격 진료 대상 수가는 대면 진료의 50%로 책정되어 있으며, 호주 전 지역을 대상으로 적용된다. 호주의 의료 수가는 '권장' 수가이므로 정해진 수가에 환자들에게 본인부담금을 10~20% 정도 더 부담하게 하기도 하지만, 벌크 빌링(Bulk Billing)을 통해 환자의 본인 부담금 납부에 대한 부담을 줄여 가격경쟁력을 높이고 보험 급여의 지급을 앞당기는 방식을 취하기도 한다. 일반 진료 및 원격진료에 대한 Bulk Billing 시행 병원은 Healthengine 사이트 내에서 검색이 가능하며, 인근 클리닉 간판 또는 원내 안내판 등에도 게시되어 있어 환자들의 정보 수집이 용이하다.

다) 원격의료 관련 법

현재 호주에는 원격의료에 대한 개별 법률이나 규정이 존재하지 않으며, 기존 의료서비스 제공과 관련된 법률 및 규정을 원격의료에도 적용하고 있다. 원격의료 적용 범위는 Health Insurance Act 제3조 개정을 통해 확대되고 있다. 별도의 법률 보다는 다양한 의료분야의 규제기관에서 원격의료 서비스 제공에 대한 지침서 또는 가이드라인을 제공하고 있다.

호주의 의료전문가 규제 기관인 AHPRA(Australian Health Practician Regulation Agency)의 의료인 원격의료 지침서(Telehealth guidance for practitioners), 호주왕립개원의과대학(RACGP)의 전화 및 비디오 상담 안내서(Guide to providing telephone and video consultations in general practice), 호주의사회(Medical Board of Australia)의 호주 의사 행동강령(Good medical practice: a code of conduct for doctors in Australia) 등이 그 예라 할 수 있다. 이상의 지침 및 가이드라인에는 원격의료가 무엇인가 하는 기초적인 사항뿐만 아니라 원격의료행위를 할 수 있는 대상과 의료인으로서 디지털 기술 기반 환자 상담 시 지켜야 할 행동강령 등이 명시되어 있다.

지리적 고립과 산재한 인구로 인한 대면의료의 낮은 접근성에서 시작된 호주의 원격의료는 주 정부와 연방 정부의 보안법 및 개인정보보호법에 의해 운영됨으로써 원격의료가 지닌 구조적 취약점을 보완하고 있다.

6) 싱가포르

싱가포르는 아직까지 원격의료 부문을 아우르는 포괄적인 법 제도가 마련되어 있지 않은 상황으로 다수의 가이드라인 및 규제를 통해 원격의료 관련 지침을 제공하고 있다.

가이드라인	내용
국가 원격의료 가이드라인 (National Telemedicine Guidelins, NTG)	싱가포르 보건부가 2015년 발표한 지침으로 임상 표준, 인력, 조직, 기술 및 장비 등의 차원에서 원격진료 솔루션을 실행하는 데 있어서 베스트 프랙티스를 열거함으로써 의료제공자들에게 지침을 제공
윤리규약 및 윤리 가이드라인(Ethical Code and Ethical Guidelines, ECEG)과 의료윤리핸드북(Handbook on Medical Ethics)	싱가포르 의료 위원회(Singapore Medical Council)가 작성한 지침으로 위반시 징계절차 돌입
원격의료 제품 가이드라인 (Telehealth Product Guideline, TPG)	건강 과학청(Health Sciences Authority)은 의료기기로서 규제 대상인 원격의료 제품 형태와 건강과학청이 규제하고 있는 이러한 제품에 대한 규제적 접근방식과 요건들을 명확히 제시
의료제품 규제 (Health Products Regulations, HPR) 및 원격약국 가이드라인(Telepharmacy Guideline)	원격약국 서비스에 대한 규정 및 가이드라인 제시

[표 33] 싱가포르 원격의료 가이드라인

인구 고령화로 만성 질병이 급증함에 따라 싱가포르 보건부는 새로운 치료 모델의 필요성을 절감하고 '헬스케어서비스법'의 입법을 추진하고 있다. 2020년 1월 보건부는 2022년 말 '헬스케어서비스법(Healthcare Services Act)'에 따라 원격의료가 허용(licensed)될 것이라고 발표했다. 헬스케어서비스법은 현행 '민간병원 및 의료클리닉법(Private Hospitals and Medical Clinics Act)'을 대체할 예정으로 싱가포르 정부는 현재 헬스케어서비스법에 대해 공공의견을 수렴하고 있다.

'헬스케어서비스법'에서는 규제의 기반을 '물리적 장소 기반' 면허제도에서 '서비스 기반' 면허제도로 전환이 추진되고 있으며, 이러한 차원에서 원격진료가 동 법 내로 포함된다. 또한, '헬스케어서비스법' 하에서 서비스 기반 면허 취득자(원격진료 서비스 제공자 포함)는 국가전자건강기록부(National Electronic Health Record)에 환자 건강정보 제출 의무를 부담하게 된다. 국가전자건강기록부에는 환자 프로필, 사건, 진단, 수술기록, 퇴원기록, 처방기록, 실험보고서, 방사선 보고서, 예방주사 기록 및 알레르기 등이 핵심 정보로 저장될 예정이다.

그러나 원격의료와 관련해서는 '헬스케어서비스법' 시행 이전까지 다양한 이슈가 발생할 것으로 예상된다.

이슈	상세
서비스 자격 및 임무	• 싱가포르에서 원격의료 서비스는 '의료등록법(Medical Registration Act)' 하에서 싱가포르의료위원회(SMC)에 등록된 의사들만 제공 가능하며, 원격의료 시에도 대면 진료와 마찬가지의 품질과 기준을 적용하는 것이 필요 • 싱가포르의료위원회 등록 의사들은 원격진료 시 ①커뮤니케이션 플랫폼과 원격건강 기기의 활용과 관련하여 적절한 교육을 이수하고, ②환자에 대해 충분한 정보 입수하며, ③원격진료 서비스의 성격과 그 한계에 대해 충분히 환자에게 설명할 의무가 부여
법적 책임	• 아직까지는 싱가포르에서 원격의료 관련 의료과실이나 사고는 없었으며, 이러한 점으로 인해 법적인 책임소재가 불분명 • 원격의료 업체가 프리랜스 의사들을 활용하여 진료행위를 추진할 경우 과실이나 사고 발생 시 누가 책임져야 할 것인지 불분명 • 싱가포르 법원은 등록된 의사가 업체의 직원이었을 것인지 아니면 용역이었는지를 고려할 것으로 예상 • 이러한 리스크 회피를 위해 원격진료업체는 의료과실 보험을 가입한 등록의를 고용하거나 이들을 대신하여 동 보험에 가입할 것으로 예상
개인정보 보호	• 싱가포르에서 개인정보는 '개인데이터보호법(Personal Data Protection Act)'의 보호를 받고 있어 헬스케어업계는 특정 가이드라인 준수가 필요 • '개인데이터보호법'에 따르면 개인의료정보를 수집하는 원격의료 및 헬스케어 서비스 제공업체에게는 승인받지 않은 환자의 개인정보 데이터 접근, 수집, 변형, 처리 등을 방지하기 위한 적절한 보안 처리 의무 발생 • 기타 개인정보에 비해서 개인의료정보는 민감도가 훨씬 높으며 보호 수준도 더욱 높아야 하므로 원격의료업체는 환자 개인정보의 저장과 관련해 충분한 보안 조치를 취해야 하는 의무가 발생
장비 관련 지침준수	• 원격의료 서비스 제공업체들은 의료조건, 질환, 해부 또는 생리적 프로세스의 조사, 탐색, 진단, 모니터링, 치료 혹은 관리의 목적으로 기기를 개발하거나 수입할 경우 관련 가이드라인(TPG) 준수 필요 • 만약 원격약국(telepharmacy) 서비스를 추진할 경우에는 원격약국 가이드라인(Telepharmacy Guideline)을 준수

[표 34] 싱가포르 원격의료 이슈

싱가포르 보건부는 성장하고 있는 원격의료의 산업 환경과 과제를 파악하기 위해 2018년부터 원격의료 서비스 제공업체들과 협력해 규제샌드박스를 시행하고 있다. 싱가포르 보건부는 '면허실험 및 적응 프로그램(Licensing Experimentation and Adaptation Programme)'을 통해 혁신적인 의료서비스를 개발하고 안전하고 통제된 여건 속에서 해당 의료서비스의 정밀성을 높이도록 노력하고 있다.

본 규제샌드박스에 참여하는 참여업체들은 새로운 헬스케어모델을 도입하는 데 중요한 역할을 하게 될 것으로 기대된다.

업체명	분야	시행일
WhiteCoat	원격의료	2018.04.18
MyDoc Priate Ltd	원격의료	2018.09.07
Doctor Anywhere Pte Ltd	원격의료	2018.09.07
Speedoc Pte Ltd	모바일의료	2018.09.07
MaNaDr	원격/모바일 의료	2018.09.07
SATA CommHealth	원격의료	2019.02.08
Doctor World Pte Ltd	원격의료	2019.02.08
Parkway Shenton Pte Ltd	원격의료	2019.02.08
CarePlus Pte Ltd	원격의료	2019.02.08
HiDoc Pte Ltd	원격의료	2019.02.08
Rescu Pte Ltd	모바일 의료	2019.02.08

[표 35] 싱가포르의 '면허실험 및 적응 프로그램' 규제샌드박스 참여업체

코로나19 사태 이후 기존 원격의료 서비스 제공업체들은 코로나 19 감염 여부를 상담할 수 있는 서비스를 도입하는 등 사업 범위를 확대하고 있으며, 신규 업체의 시장 참여도 늘어가는 상황이다. 이에, 정보통신미디어개발청 (Infocomm Media Development Authority)와 싱가포르기업청(Enterprise Singapore)은 원격상담(teleconsultation) 디지털 솔루션 사전 승인의 폭을 확대했다. 또한, 정보통신미디어개발청과 싱가포르 기업청은 중소규모의 의료서비스 제공업자들이 이 같은 솔루션을 채택할 수 있도록 보조금을 지급하고 있다.

원격진료앱	상담료	원격진료앱	상담료
Doctor Anywhere	SGD 20	MaNaDr	병원에 따라 상이
Doctor World	SGD 18	SATA CommHealth	SGD 19.50
MHC CarePlus	SGD 22	White Coat	SGD 25

[표 36] 싱가포르 원격의료앱 표준 상담료 (단위 : 싱가포르 달러)

7) 네덜란드

네덜란드에서는 2018년 1월부터 원격상담에 대해서는 민간보험이 적용된 가운데 정부에서도 원격의료 활성화를 위한 노력을 전개하고 있다. 네덜란드는 보편적 의무의료보험제도를 시행하고 있으며, 보건복지체육부의 소관으로 결정되는 기본혜택 패키지에서는 대부분의 원격의료 서비스가 미적용되었다.

보건복지체육부는 원격의료 활성화를 위해 Zorg Van Nu를 출범하고, 각종 사례 및 기술 시범 등을 통한 원격의료의 국민인지도 제고 작업을 추진하고 있다. 또한, 이헬스(e-Health) 기술 개발 지원과 조속한 전개를 위한 로드맵인 '적절한 장소에서의 적절한 케어 (The Right Care in the Right Place)'를 발표했다.

코로나 19 사태는 원격의료 관련 관행, 정책 및 여론을 크게 변화시키는 계기로 작용했는데, 네덜란드의 초국적 의료기술기업 Philips는 네덜란드 보건복지체육부 및 에라스무스 의료센터와 공동으로 환자 정보 공유를 위한 코로나 19 온라인 포털을 구축했다. 본 포털은 2020년 3월 28일 출범 이후 네덜란드 내 병원의 95%가 이에 가입했으며, 긴급사태 기간 동안에는 모든 병원에 대해서 무료로 포털을 개방했다. 또 다른 헬스케어업체인 CompuGroup Medical(CGM)에서는 신속, 안전, 간단한 화상상담 솔루션을 개발했으며 2021년 5월 기준 8,000여 명에 달하는 의사 및 보건 관계자가 동 시스템을 활용하고 있다.

코로나 19 상황이 악화됨에 따라 네덜란드 정부는 원격의료 제공 여건을 개선하는 한편, 임시적으로 보험 혜택도 확대했다. 시장감독기구인 보건청은 대면 진료 의무 등의 내용을 원격의료 제공이 가능하도록 개선하는 등 원격의료 관련 장애 요인을 해소했다. 본 조치는 공공보건 및 환경연구소 및 담당 정부부처 지침 및 권고 등이 효력을 잃을 때까지 지속되며, 본 조치 종료 후에는 1주일간의 과도기를 설정했다. 이에, 본 조치 기간 동안에는 의료서비스 제공기관은 원격의료를 통한 정규 상담, 처방 혹은 치료 등에 대해서도 요금을 부과할 수 있으며, 전화 통화 혹은 디지털 통신 등의 방식으로도 원격 초진 시행이 가능하다.

그러나 네덜란드 정부는 기본적으로 '혜택 패키지 기준'을 만족하는 디지털 케어 활동에 대해서만 보험 급여를 지급할 수 있다는 입장을 견지하고 있다. 이러한 보험 급여 지급 기준은 건강보험법(Health Insurance Act, Zvw)과 장기치료법(Long-Term Care Act, Wlz)에서 근거를 두고 있으며, 핵심 요건은 안전성과 효과성이다.

일반적으로 이미 보험의 혜택을 받는 치료행위가 디지털 형식으로 전달되고 이로 인해 치료의 구성과 효과성이 면대면 접촉에 의한 치료에 비해 크게 변하지 않는다면 보험을 적용하게 된다. 그러나 만약 디지털 치료 적용의 결과 치료의 효과성이나 구성이 변화하게 된다면 이로 인해 실물 치료시와 동일한 보험의 적용은 불가능하다. 이 때문에 네덜란드 보험당국은 기존 치료에 대비하여 디지털 케어의 부가가치를 확인하는 것이 필요하다는 입장이다.

보건청은 2021년부터 전화 상담을 초진상담으로 대체할 예정이며, 이는 초진과 후속 전화 상담을 구분하기 위한 목적이다. 초진상담과 관련해서는 클리닉, 환자 자택 또는 디지털 형식

으로 가능하다. 자택 요양에 대한 보험적용과 관련해서도 2019년에는 월 최대 4시간의 화상 의사소통을 인정했으나 2020년에는 이를 월 6.5시간으로 확대했으며, 2021년부터는 언어치료 관련 실물 면대면 접촉의무를 폐지했다.

한편, 보건복지체육부는 'SET COVID-19' 조치를 통해 만성질환자, 장애자 및 노령층 환자가 가정에서 원격의료 및 지원을 받을 수 있도록 예산을 배정했다. SET COVID-19는 가정 원격의료 인센티브 규정인 SET(Stimuleringsregeling E-health Thuis)의 임시적 확대 조치로 코로나 19 사태가 종식될 경우 SET COVID-19도 종료된다. 코로나 19에 대응해 현재 지역 요양서비스 제공자, 정신질환 서비스 제공 기관 및 병원 등 원격 디지털 케어에 추가 투자를 원하는 의료 및 복지기관이 주요 지원 대상이며, 디지털 어플리케이션 실행을 위한 프로젝트 비용으로 신청 건당 50,000유로를 지급한다.

이러한 정부의 노력과 함께 네덜란드 의료전문가 단체 등이 원격진료 관련 지침을 마련하고 있다. 네덜란드 일반의 협회는 의사-환자 간 비디오 콜 지침을 마련하고 있다. 예를 들어, 협회는 보안상의 이유로 왓츠앱, 페이스타임 사용을 막고 의료분야용으로 개발된 솔루션 활용을 권장하고 있다. 또한, 왕립 네덜란드 의료협회는 의료자문의 온라인 제공, 온라인 의약 처방 및 의료 데이터 처리 등에 관한 추가적 안전조치 등에 관한 가이드라인을 공표했다. 본 가이드라인에서는 환자와의 온라인 접촉에 있어서도 처방의 질과 편익을 유지할 수 있어야 하며, 의사들 역시 환자와의 전자적 의사소통의 비밀성과 보안성을 보장할 수 있어야 함을 강조하고 있다. 또한, 개별 환자에 대한 온라인 자문은 온라인 절차에 대해 환자에게 충분한 설명을 제공하고, 환자가 제공한 신뢰성 있는 유관 데이터에 의존할 수 있는 등 누적적 조건이 충족되어야 가능함을 명시했다.

일반적으로 네덜란드 의료전문가들은 환자 치료가 데이터 보호에 우선한다는 견해를 가지고 있으며, 현재와 같은 코로나 19 팬데믹 상황에서 상업적 원격 의사소통 플랫폼 활용을 받아들이는 경향을 보이고 있다. 반면, 네덜란드 데이터보호청은 의사들이 왓츠앱 등 디지털 의사소통 수단을 활용하는 데 대해서 비판적인 입장을 견지하고 있다. 그러나 현재 상황에서 데이터보호청은 의료기관이 코로나바이러스 전염에 대응하고 공중의 보건을 지킬 수 있도록 더 많은 재량권을 부여하고 있는 실정이다. 단, 명시적으로 데이터보호청은 의료전문가들이 왓츠앱이나 페이스타임 등과 같은 자원을 활용할 경우 발생하는 보안 리스크에 대해서 주의를 기울일 것을 강조하고 있다.

네덜란드 정부뿐만 아니라 보건 전문가들 역시 코로나 19 대처를 위해 모바일 앱을 다수 개발 중이나 이와 관련된 개인정보보호 논란도 확대되고 있다. 보건복지체육부는 2021년 4월 초 콘택트 추적 앱 공모를 추진해 660건의 제안서를 접수하고 이 중에서 7건을 선정하여 개인정보 및 데이터 보안 관련 의견을 문의했다. 데이터보호청은 평가를 통해 현재 단계에서는 이들 앱의 일반데이터보호규정 준수 여부를 평가하기 어렵다고 발표했다.

8) 헝가리

헝가리는 코로나 19 사태에 따라 국가비상사태를 선언하고, 이어 4월에는 통신수단을 활용한 의료서비스를 장려하는 원격진료 행정명령을 발표했다. 헝가리 정부는 비상사태 기간 중 행정명령을 통해 의료기관에서의 대면접촉 대신, 전화, 스카이프, 이메일 등 통신수단을 활용한 의료서비스 및 상담 활동을 장려하고 있다.

본 행정명령에서는 의료서비스의 전달여건 조성, 서비스의 전달 및 결제에 있어서 환자의 물리적 내원이 반드시 필요한 조건이 아님을 구체적으로 적시했다. 의료기관은 홈페이지를 통해서 환자의 직접적 내원을 필요로 하지 않는 서비스를 적시하고 서비스 이용방법 안내 의무와 더불어 제공한 원격진료 기록 작성 및 보관의 의무를 부담한다.

이번 원격진료 행정명령에서는 환자가 없는(absent) 상황에서 원격진료를 하기 위해 추진해야 할 항목을 규정했다.

원격진료를 위해 추진해야 할 항목
① 환자의 건강 상태에 대한 전문적 판단
② 질환의 탐색과 이와 결부된 리스크
③ 질병 또는 증후군의 특정
④ 환자의 상태를 더욱 잘 판단하거나 치료를 추진하기 위한 추가 테스트
⑤ ①에서 ④항까지의 치료 관련 효과성의 확인
⑥ 환자의 상태 모니터링 및 원격 환자 모니터링, 의사소통 기술 및 기타 정보에 의해 취득한 정보에 근거한 진단
⑦ 원격의료를 통해 제공할 수 있는 서비스를 명시

[표 37] 원격진료를 위해 추진해야 할 항목

이러한 행정명령과 의약영양청에 따르면 국가비상사태 동안 만성질환을 가진 안정적 상태의 환자에 대한 전자처방과 원격 의료 상담이 가능하다. 의료전문가 직접 커뮤니케이션의 대면 전달은 이 기간에 적절하지 않으므로 중요 리스크 최소화 지침은 전문가 협회를 통해 디지털 방식으로 전파된다. 특정인이 코로나 19 사태와 관련하여 비중재적 임상실험에 참여할 경우 정보는 통신수단(음성 등을 통해 증명할 수 있는 방식으로 전달할 수 있는 장치)을 통해서만 전달되어야 하며, 동 개인의 참여 및 철회 의사 역시 통신수단을 통해서만 전달이 가능하다.

임상실험과 관련 의약영양청은 EU 공통 권고안을 따를 것을 권고하고 비대면 접촉을 장려하고 있다. 이에, 만약 직접적 서명을 획득하기 어려운 경우 인쇄된 이메일 등의 대안적 문서 도구를 활용하며, 새로운 임상실험 신청 및 수정신청은 의약영양청 클라이언트 게이트를 통해 접수되어야 하나, 임상실험 자료의 경우 유럽공동제출포탈을 통해서도 제출할 수 있다.

현재 진행 중인 임상실험의 경우 환자와의 의사소통을 통해 새로운 동의가 필요한 경우가 있는데, 전화, 화상통화, 이메일을 동반한 구두 동의 등과 같은 대안적 방안을 추구해야 하며,

이 같은 방식은 모두 문서화된다. 주요 조사 기관과 지원 기관 현장 방문은 연기·중단하거나 전화로 수행한다. 모니터링과 관련해서도 전화 혹은 화상통화 추진을 고려하고 있다. 만약 연구의 지속이 현재의 장소에서 불가능하고 장소의 이전도 곤란할 경우 정보는 가장 간단한 방식 즉 전화로 전달된다. 환자 데이터 공유 혹은 환자 보호자의 의료기관 전자적 데이터에 대한 원격적 접근은 민감 데이터 보호 및 윤리적 사유로 추진이 불가하다.

헝가리에서는 이외에도 원격의료와 관련한 다수의 조치를 시행하고 있다.

조치	내용
행정명령 제83/2020호	• 내무부 장관 및 인적자원부 장관은 최대 국가비상사태 종료 시까지 치료기관, 공공의료행정기관 및 전자의료서비스 플랫폼에서 처리한 개인정보에 접근 가능
행정명령 제43/1999호	• 헝가리 국립의료보험펀드는 의료서비스에 대한 보험 급여를 제공해야 하는데, 국립의료보험펀드의 장은 비상사태 종료 시까지 원격진료 관련 적정 의료수가 산정을 위한 방법론 수립을 지시 • 2020년 5월부터 국립의료보험펀드는 평균에 의한 의료수가 산정을 추진키로 결정 • 긴급사태 이전 기간 동안 원격의료를 포함해 대다수의 의료서비스와 관련 의료기간에 지불된 과거 3개월간의 의료수가의 평균에 해당하는 금액을 지불

[표 38] 원격의료 관련 조치

나. 국내 현황[30)]

1) 정책 현황

가) 이명박 정부 시기(2009년)

2009년 7월 15일 정부는 의사-환자 간 원격의료 허용시 건강보험료 절감, 본인부담금 감소, 교통비 절감 등 사회적 편익이 발생할 것이라는 한국보건사회연구원 및 보건산업진흥원 등 관련 정부 산하 연구기관들의 연구결과에 따라 의사-환자 간 원격의료 허용에 대한 '의료법 개정안'을 발의하였다. 의협은 '의원급 의료기관을 중심으로 원격의료를 시행하는 것을 전제'로 찬성 의견을 냈다. 그러나 의협 내부에서 의사-환자 간 원격의료에 대한 반발이 있었고, 이에 대한 당시 의협 회장이 전국 순회 설명회를 진행하였으나 반대의견이 거세 2009년 11월 반대의견서를 제출하였다.

정부는 이런 의협의 반대 입장을 무시하고 입법을 추진하여 의료법 개정안은 2010년 1월 규제개혁위원회를 통과하였다. 그럼에도 2010년 3월 법제처에서 '과중한 의료비 부담이 우려된다'라는 의견이 제시되었고, 2010년 4월 27일에 의협에서 반대의견서를 제출하였다. 당시 청와대도 원격의료 추진 의지가 강하지 않았기 때문에 장기간 국회에 계류되었다가 2012년 18대 국회 회기가 만료됨에 따라 자동 폐기되었다.

나) 박근혜 정부 시기(2013년)

2013년 박근혜 정부는 동네의원 중심의 의사-환자 간 원격의료 허용 의료법 개정안을 입법예고하였다. 의협은 여전히 원격의료에 대해 반대 입장이었으나 정부와 협의 및 논의를 하기 위해 노력하였다. 박근혜 정부 시기의 원격의료 정책 경과는 크게 3개의 시기로 나눌 수 있다.

① 2013년 10월 의료법 개정안 입법예고 ~ 2014년 3월 의정 협의안 발표

이 시기는 2013년 10월 29일 정부에서 동네중심의 의사-환자 간 원격의료 허용 의료법 개정안을 입법 예고한 이후 의협의 반대와 투쟁, 의정협의 등을 통해 정부가 원격의료 시범사업 이후 재논의하기로 결정한 시기이다.

② 2014년 4월~2014년 5월 의정 논의 시기

이 시기는 원격의료 시범사업에 대해 정부와 의협이 논의하던 시기로 원격의료 시범사업 모델에 대해 구체적으로 논의했던 시기이다. 이 시기동안 원격의료 시범사업을 통해 의학적 안전성, 기술적 안전성, 임상적 유효성, 비용 경제성 검증을 위한 원격의료 시범사업 모델 논의를 진행하였다. 의협은 원격진료 시범사업은 불가하고, 기술적 안전성 담보 수준의 원격의료 시스템을 갖춘 후 원격의료 시범사업 시작을 주장하였다. 반면, 정부는 원격의료 시범사업에 원격진료를 포함하여 바로 6개월간 원격의료 시범사업을 실시할 것을 주장하였다. 의견은 첨예하게 대립하였고, 정부가 일방적으로 원격의료 시범사업에 원격진료를 포함하는 원격의료 시범사업 실시방안을 발표함으로써 의정 논의는 중단되었다.

---

30) 원격의료 정책 현황과 대응방안 연구, 의료정책연구소, 2022.04

③ 2014년 7월~2015년 6월 의정 논의 결렬 시기

이 시기는 의사-환자 간 원격의료를 제도화하려는 정부와 이를 강하게 반대하는 의협 사이에 논의가 완전히 결렬된 시기이다.

다) 문재인 정부 시기 (2018년~2022년)

2015년부터 2018년 문재인 정부가 들어설 때까지 원격의료 도입에 대한 논의는 계속 팽팽하게 의견 대립을 하였다. 그러나 2018년 문재인 정부는 대통령 이전 야당일때는 원격의료 추진에 반대 입장이었으나 여당이 된 후 원격의료를 추진하려는 의사를 강력하게 표출하였다. 이에 의협도 강력 반대의 의견을 내세우고 팽팽하게 대립하였다. 2020년 코로나19가 확산되자 정부는 원격의료를 '비대면진료'라고 명명하고 원격의료 중 가장 위험한 유형인 전화 상담·처방을 한시적으로 허용하였다. 이후 전화 상담·처방을 감염병예방법에 근거를 두도록 개정하였고, 전화 상담·처방 사례를 들어 원격의료를 제도화하기 위해 의료법 개정안을 발의했다.

라) 윤석열 정부 시기 (2022년 ~ 현재)[31)]

윤석열 대통령은 후보 시절, 정책공약집에 주요 규제혁신 과제로 '디지털 헬스케어'와 '비대면 진료'를 꼽으며, 사실상 비대면 진료의 점진적 추진을 기정사실화 했다. 윤석열 대통령은 개인 의료데이터 및 디지털 헬스케어 서비스를 관리할 '디지털 헬스케어 주상담의' 제도를 설명하며, 도서와 산간 지역의 소외계층을 대상으로 비대면 진료 시범사업을 확대하겠다는 공약을 내세웠으며, 이동식 원격진료 화상장비·의료기기·통신장비(LTE/5G/위성통신) 구성된 SOC 사업을 추진하고, 소형화 경량화된 장비 개발 등도 조치성능 개선(소형화·경량화 등)된 장비 개발 필요성도 제시했다.

31) 이재명·윤석열 모두 '비대면 진료' 공약 담아…원격의료 추진 가닥, 메디파나, 2022.02.26

2) 원격의료 국내 사례

가) 전화 상담·처방

코로나19가 발생하고 국내에서 크게 확산되자 정부는 2020년 2월 27일 코로나19의 의료기관 내 확산방지 및 환자 보호를 위해 원격의료 대신 비대면진료로 용어를 바꾸고 전면적인 원격의료 허용이 아니라고 하면서, 전화 상담·처방을 한시적으로 허용한다고 발표하였다. 의료계가 반대하자 정부는 만성질환에 한정한다고 발표하였으나 실제로는 질환 및 전문 과목의 규제나 제한 없이 모두 허용했다.

2020년 2월 한시적으로 허용된 전화 상담·처방은 법적 근거가 없이 시행되었는데, 정부는 2020년 12월 15일 '감염병 예방 및 관리에 관한 법률' 개정을 통해서 국가 위기상황에서 전화 상담·처방과 같은 원격의료를 전면 허용하도록 하면서 법적 근거를 마련하였다.

전화 상담·처방은 코로나19 확산으로 코로나19 감염을 예방하고, 의료기관 내 감염원 유입을 방지하며, 만성질환자, 노약자, 임산부 등 고위험군 환자의 감염을 최소화하기 위해 시행되었다. 시행 범위로 대상 환자에 대한 제한이 없고, 종별 구분 없이 모든 의료기관 및 모든 질환에 허용되었다. 시행 조건으로는 의사의 의료적 판단에 따라 안전성 확보가 가능한 경우로 명시해둠으로써 책임을 의사에게 두었다. 전화 상담·처방에 참여하고자 하는 모든 의료기관은 별도의 신청절차 없이 진찰이 가능하며 진료 후 처방전 발급은 환자가 원하는 약국으로 전송할 수 있다. 전화 상담·처방의 수가는 외래 환자 진찰료와 동일하고 환자의 본인부담금도 외래본인부담률과 동일하게 산정되었다. 야간, 공휴, 소아가산(1세미만, 6세미만 등)에 대한 진찰료와 병원급(상급종합병원, 종합병원, 병원)을 대상으로 의료질평가지원금을 산정, 전화 상담·처방 참여를 유인하기 위해 의원급 의료기관에 한해 '전화상담관리료'를 가산해 주었다.

나) 재택치료

코로나19 확진자가 증가하면서 임상적 위험도가 낮고, 보호자와 동반 생활이 필요하며, 입원·시설 격리 치료에 따른 정서적 어려움으로 인한 환자 등에 대한 재택치료 적용 필요성이 제기되었다. 이에 임상적으로 양호한 경과를 보이는 환자 등에 대해 친숙한 환경에서 정서적, 심리적 안정을 유지하며 코로나19 격리 기간을 종료할 수 있도록 지원하기 위해 2020년 10월 13일부터 시행되었다. 그러다가 2021년 후반기부터 코로나 확진자가 급격하게 증가하였고, 의료기관과 입소시설에서 모두 수용하기 어렵게 되자 2021년 11월 29일부터 모든 코로나19 확진자에 대해서 재택치료가 기본 방침이 되었다.

재택치료의 법적 근거는 감염병예방법 제41조(감염병환자등의 관리), 47조(감염병유행에 대한 방역 조치), 감염병예방법 시행령 제23조(치료 및 격리의 방법 및 절차 등)이다. 재택치료에 대한 지속적 필요성에 따라 2020년 10월 13일 감염병예방법 제41조가 개정됨에 따라 재택치료에 대한 법적 근거가 마련되었다. 재택치료는 '자가치료' 의 시행상 용어로 감염병예방법에는 '자가치료'로 명시되어 있다.

재택치료는 코로나19 확진 환자의 상태 등을 고려하여 입원치료·시설치료가 아닌 '집에서 받는 치료'를 말한다. 재택치료는 2020년 10월부터 '입원요인이 없는 70세 미만 무증상, 경증 확진자로 재택치료에 동의한 사람'을 대상 처음 시행되었다. 그러다가 코로나19 확진자 수가 크게 증가하여 의료기관과 생활치료센터 등 입소시설에서 확진자를 모두 감당하기 어려운 상황에 봉착하자 2021년 11월 29일부터 모든 코로나19 확진자가 재택치료 대상이 되었다. 단, 입원요인이 있는 경우(동거인 포함), 감염에 취약한 주거환경, 보호자가 없는 돌봄 필요자(소아, 장애인, 70세 이상 접종자 등), 보호자와 공동격리가 불가능한 자, 이외 지자체장이 인정하는 자 등의 경우는 입원(의료기관, 생활치료센터 등) 치료 대상자가 된다.

재택치료자는 보건소 조사 결과에 따라 집중관리군과 일반관리군으로 구분된다. 집중관리군은 확진자가 ① 60세 이상이거나 ② 면역저하자로서 지자체가 집중관리가 필요하다고 판단하는 자이고, 일반관리자는 집중관리군 외의 재택치료자를 말한다. 집중관리군은 재택치료 관리 의료기관이 건강모니터링을 실시하는데 1일 2회 유선 모니터링을 실시하고, 대면진료 필요시 사전 예약 후 외래진료센터를 이용하도록 하였다. 일반관리군은 동네 병·의원, 호흡기전담클리닉, 호흡기진료지정의료기관, 재택치료 의료상담센터에서 전화 상담·처방을 받을 수 있다. 환자가 의료기관에 전화 상담·처방 요청을 하면 의료기관과 상의하여 가능한 시간에 상담이 가능하고, 대면진료 필요시 사전 예약 후 외래진료센터를 이용하도록 하였다.

7 원격의료 기업 동향

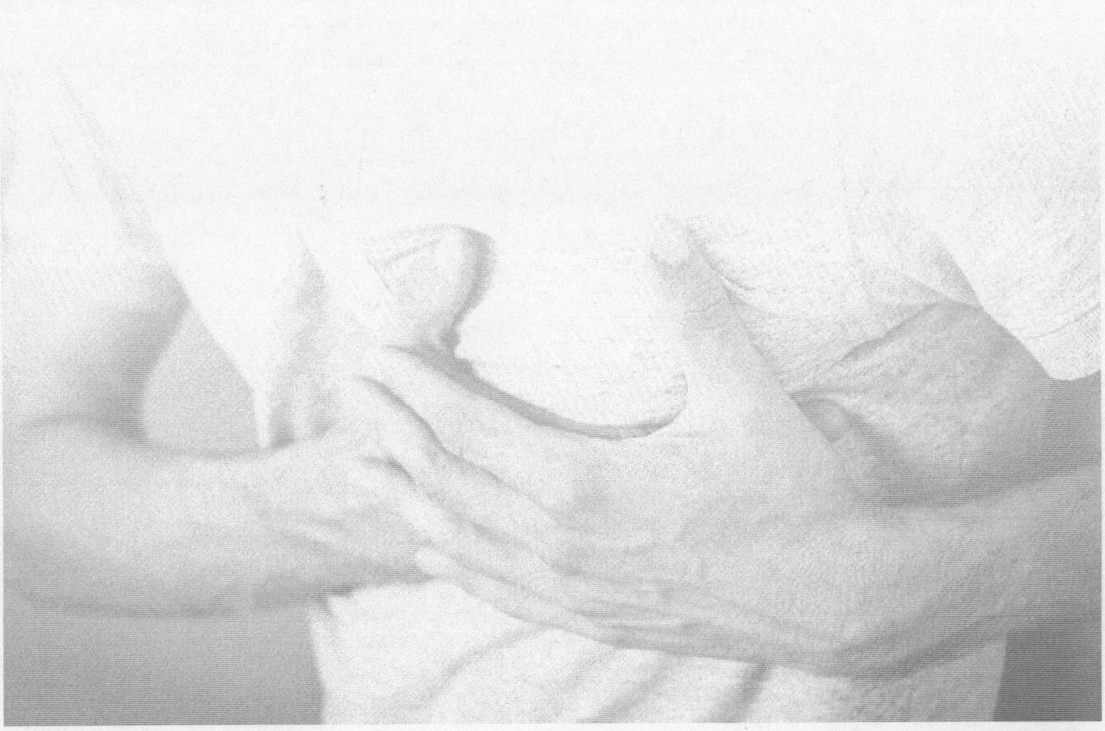

7. 원격의료 기업 동향

가. 해외기업

1) 텔라닥 헬스32)

[그림 55] 텔라닥 헬스

텔라닥 헬스(Teladoc Health)는 미국 원격의료 선두주자로, 의료진 네트워크를 구성해 고객에게 원격의료 서비스를 제공한다. 진료과목은 일반 진료(감기 등), 피부과, 정신과, 소아과, 부인과 등 다양하게 제공된다. 고객들은 웹사이트, 앱, 콜 센터를 통해서 진료를 신청할 수 있다. 진료 신청 이후 보유한 보험 커버리지, 성별, 사용 언어 등을 고려해 가장 적합한 의료진을 배정한다. 대기 시간은 통상 10분 정도 소요된다. 진료 후 의료진이 환자의 EHR(Electronic Health Record) 업로드 및 필요 시 전문의 refer 과정을 거쳐 서비스가 마무리된다.

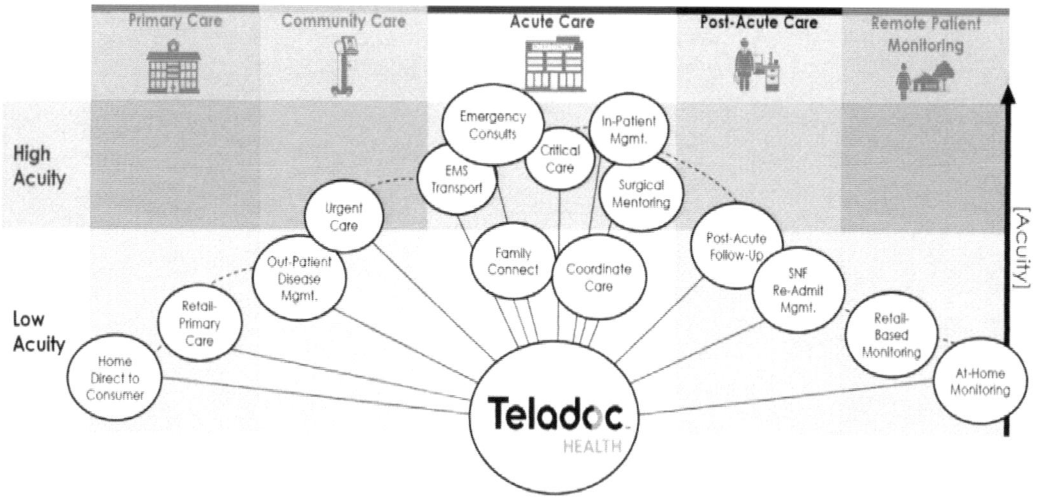

[그림 56] 텔라닥 헬스의 다양한 진료 분야

텔라닥 헬스는 기업과 계약을 맺거나, 건강보험 기업과 파트너십을 통해 직장 건강보험 가입자 플랜(커머셜 보험)에 원격의료 서비스를 제공한다. 고객과 직접 계약을 맺기보다는 우회한 B2B2C 형태 사업모델이 기본이다. 해당 모델은 고객의 대량 확보를 통해 안정적 매출 유지가 가능하다.

32) Teladoc Health, 삼성증권, 2020.05.08

최근 텔라닥은 일반 소비자용 시장으로 영역을 공격적으로 확장하고 있다. 지난 2015년 정신상담 서비스 플랫폼 '베터헬프'를 인수한데 이어 지난 2020년 경쟁사인 만성질환 원격관리 회사 '리봉고헬스'를 185억달러에 인수했다. 2022년에는 의약품을 소비자 집까지 직접 배달하는 라스트마일 서비스도 통합했다. 현재 텔라닥은 8000만명이 넘는 사용자에게 서비스를 제공하고 있으며, 2022년에만 2100만건 이상의 진료가 이뤄졌다.

텔라닥은 단일 앱에서 모든 서비스를 제공하는 단일 경험 제공을 중요한 목표로 삼고 있다. 이를 뒷받침 하듯, CES 2023에서 텔라닥은 일차진료, 정신건강, 만성질환관리 등 모든 서비스를 텔라닥 헬스 브랜드 하에서 통합된 경험으로 제공하는 통합 단일 앱을 공개했다.[33]

33) [JPM 2023]원격의료 1위 텔라닥 "소비자 대상 서비스 확대", 전자신문, 2023.01.10

2) Amwell(American Well)

[그림 57] 아메리칸웰

아메리칸웰(이하 암웰)은 2,000개 이상의 병원을 포함하는 150개 미국 최대 의료시스템에 원격의료 서비스를 제공하는 기업으로, 특히 신종 코로나바이러스 감염증(코로나 19) 확산 이후 급격한 속도로 성장하고 있다.

암웰은 2006년 '아메리칸 웰(American well)'이라는 이름으로 설립된 후 2020년 3월 현재의 이름으로 사명을 변경했다. 또한, 이 회사는 삼성전자와 제휴를 통해 삼성 스마트폰에서 원격진료 서비스를 제공하고 있다. 다른 경쟁사와 비교해 암웰의 특별한 점은 다양한 질병과 관련해 광범위한 질의응답이 잘 구축돼 있다는 점이다.[34]

암웰은 환자가 의사를 가상 방문할 때마다 비용을 청구하는 시스템을 갖고 있으며 진료 가격을 공개하고 있다. 시간과 진료과목에 따라 비용은 달라지는데, urgent care의 경우 $59에서 시작해서 진료 의사의 학력에 따라 비용이 달라진다.

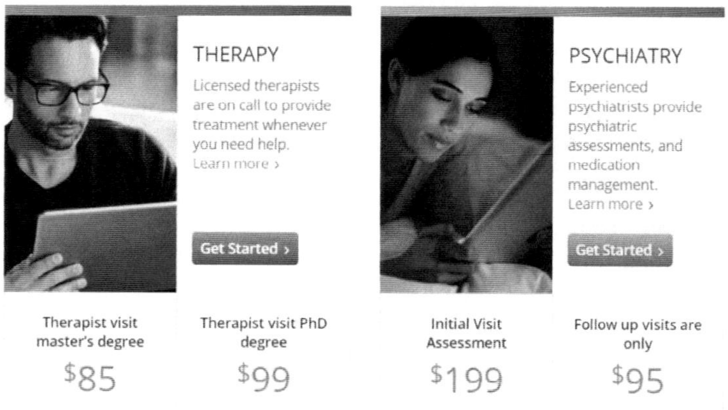

[그림 58] Amwell 서비스의 진료 가격

국내 LG전자 미국법인은 암웰과 비대면 가상진료 솔루션을 공동 개발하기 위한 파트너십을 체결했다. LG전자의 전자기기, IoT(사물인터넷) 기술 등과 암웰의 원격의료 플랫폼 '커버리지'를 결합해[35] 비대면 원격진료 솔루션을 선보였다.

---

34) [글로벌-Biz 24] 원격의료업체 암웰, 뉴욕증시에 화려하게 데뷔…거래 첫날 28% 상승, 김수아, 글로벌비즈, 2020.09.18
35) [단독] LG전자, 美 원격의료시장 출사표, 더그루, 2022.03.10

3) 평안 굿닥터[36]

평안 굿닥터는 중국 보험사인 평안보험의 자회사로 일평균 72만 건의 온라인 의료 상담 서비스를 제공하는 중국 최대 온라인 원격의료 플랫폼이다. 평안굿닥터는 모기업인 평안보험의 네트워크를 마케팅에 활용하고, 약 1,400여 명의 의사를 직접 고용하는 등의 경쟁 우위를 기반으로 총 3억 1,000만 명의 회원을 확보했다.[37]

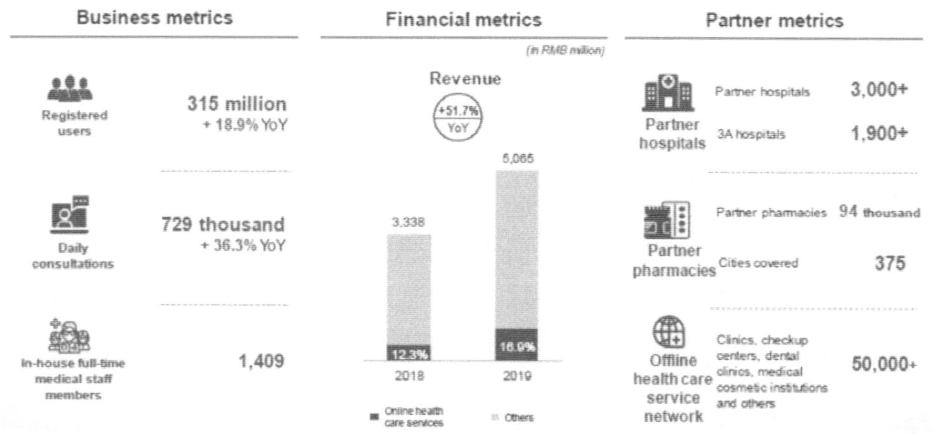

[그림 59] 평안 굿닥터 기업 소개

평안 굿닥터는 인터넷 병원을 개설하고 다른 병원과의 파트너십을 통해 원격의료 서비스를 제공하고 있다. 인터넷 병원을 칭다오와 허베이에 설립하고, 인터넷상으로만 진료할 수 있는 의료기관 면허(Practicing License for Medical Institutions)를 취득했다. 평안굿닥터 소속 의사들은 이 병원 명의로 전자 처방전을 발급 할 수 있다. 건당 진료비는 1~3.5만원 수준이다.

평안 굿닥터는 다점집업, 의련체, 온라인 처방 의약품 배송 등 관련 규제를 활용하여 원격진료, 예약, 처방, 온라인 의약품 배송에 이르는 원격의료 Total Solution을 제공하고 있다. 중국 원격의료 업체 중 원격의료 Total Solution을 구축한 기업은 평안굿닥터와 Weiyi 정도다.

또한, 기존 평안보험 그룹 고객 전용 상품인 Health 360외에 비 평안보험 고객을 대상으로 한 Private Doctor Membership 서비스를 런칭했다. 현재 Membership 이용고객의 매출비중은 원격의료의 46.6% 수준이며 이들은 일반고객대비 평균 원격의료 이용횟수가 2.7배 높고, 동사의 Health Mall에서 2배 이상 더 구매하고, 처방비율이 2.3배 높다.

평안 굿닥터는 구체적인 해외사업 매출에 대해 공개하지는 않고 있지만, 아시아 지역을 중심으로 해외사업을 진행하고 있다. 인도네시아(인구수 2.6억 명)에서는 인도네시아 복지부와 현지 의사협회와 협의 아래 현지 병원/의사/약국/배송업체들과 전략적 파트너십 관계를 구축했다.

36) 글로벌의료기기, 미래에셋대우, 2020.03.23
37) VI. 원격의료: 코로나 시대의 새로운 의료 트렌드, 대신증권

평안굿닥터는 핵심사업으로 추진하고 있는 원격의료 서비스를 오프라인방식으로 제공하는 1분 무인 진료소 또한 운영하고 있는데, 1분 무인 진료소는 문진실과 의약품 자판기로 구성되어 있으며 이용자에게 진료, 재활지도, 의약품 건의 및 판매 서비스를 제공한다.

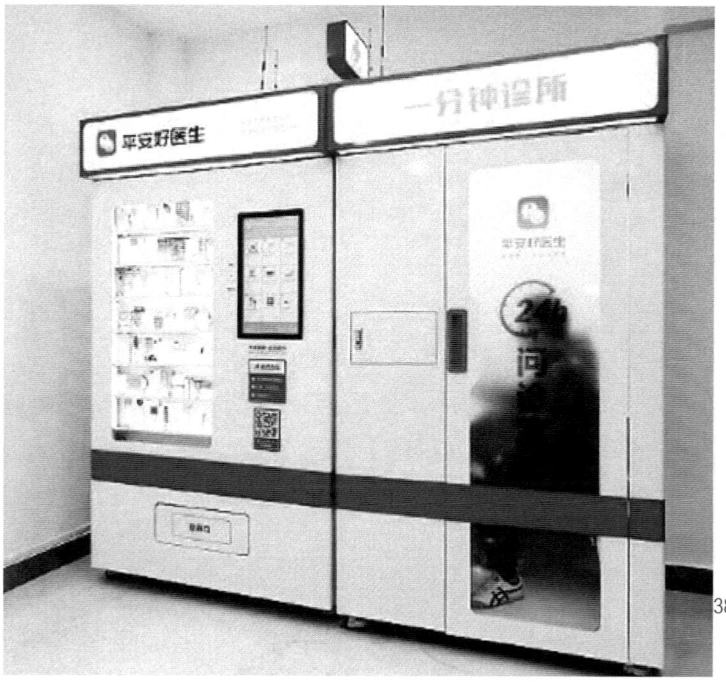

[38]

[그림 60] 1분 무인진료소

38) [기고] 진화하는 해외 디지털 헬스케어, 국내 약국은?. 데일리팜, 2020.12.24

4) Nurx

[그림 61] Nurx

Nurx는 피임 및 성병 예방 관련 원격의료를 제공하는 기업으로, 피임약 구독 서비스나 HIV 예방키트 등을 판매하고 있다. Nurx는 최근 집에서 사용 가능한 HPV 바이러스 진단 키트를 출시했는데, 이용자들은 해당 키트를 활용하여 원격의료 서비스를 제공받을 수 있다.

이용자는 먼저 Nurx 애플리케이션을 통해 건강에 대한 몇 가지 질문에 답해야 하며, 의사는 해당 답안을 바탕으로 진단 필요 여부를 판단하여 진단 키트를 배송한다. 이후 이용자가 자신의 신체 샘플을 다시 실험실로 보내고, 검사 여부에 따라 의사와 원격으로 상담하던가, 병원에 직접 방문하여 진료를 받을 수 있다.

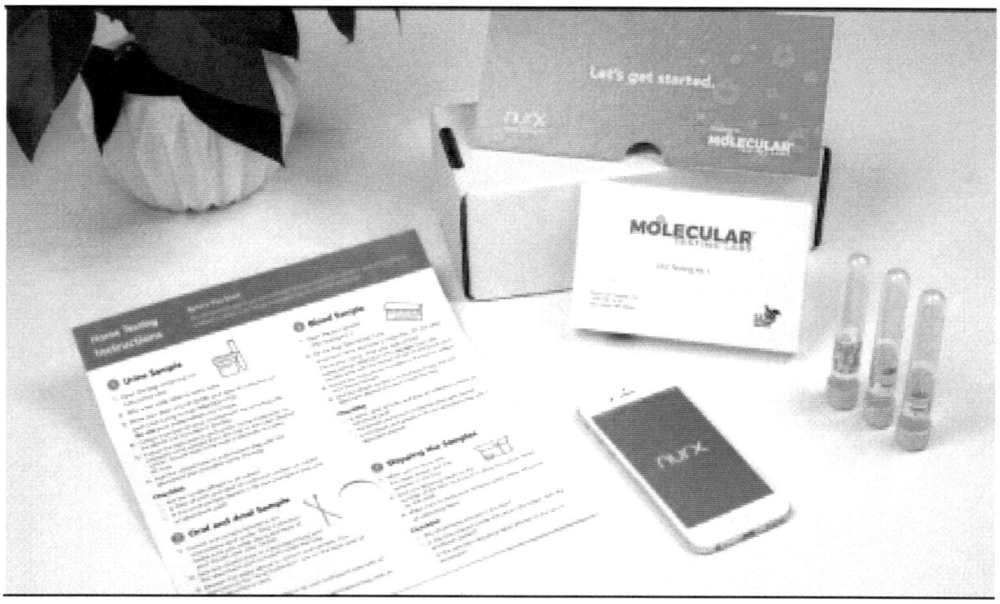

[그림 62] Nurx에서 제공 중인 HIV 예방 키트

5) Medtronic

[그림 63] Medtronic

Medtronic은 세계 최대 의료기술, 서비스, 솔루션 기업 중 하나이며, 만성질환을 위한 광범위한 의료기기, 치료법 및 서비스를 개발, 제조 및 판매하고 있다. Medtronic의 제품 및 관리 서비스는 다양한 모니터링 플랫폼과 환자 중심 소프트웨어를 제공한다. 제공하는 원격건강 솔루션으로는 포도당 관리 솔루션과 심장 상태 관리 솔루션이 있다. 원격건강 기기 제품에는 체중계, 혈압 모니터, 맥박 산소계, 보행계, 활동 추적기 등 블루투스 지원 및 직접 연결 주변장치가 포함된다.

카테고리	제품
Diabetes Management	• CareLink Personal Therapy Management Software • CareLink Pro Therapy Management Software • Guardian REAL-Time Continuous Glucose Monitoring System • Insulin Pumps with Continuous Monitors • iPro2 Professional CGM
Cardiac Rhythm Disease Management	• Cardiac Monitors • Managing Your Patients • Remote Monitoring

[표 39] Medtronic의 주요 제품 제공 현황

최근 Medtronic은 GE헬스케어 등 메드테크업체과 미국식품의약국(FDA)과 공동으로 COVID-19 세계적대유행 기간동안 적용될 의료기기의 원격제어에 대한 지침을 마련하기도 했다.

6) GE Healthcare

[그림 64] GE Healthcare

GE Healthcare는 글로벌 하이테크 산업 기업인 GE Company의 자회사로, 헬스케어 시스템 부문을 통해 원격건강 제품 및 서비스를 제공하는 선도적인 의료기술 및 생명과학 기업이다. GE Healthcare의 원격건강 서비스에는 의료 영상, 디지털 솔루션, 환자 모니터링 및 진단 솔루션이 포함된다.

2020년 출시된 GE Healthcare의 감염·중증·응급환자 데이터 통합 원격모니터링 솔루션인 '뮤럴(Mural)'은 다양한 의료기기로부터 수집된 환자의 기본 활력 징후, 심전도, PACS와 같은 데이터를 실시간으로 통합적으로 제공해 단일 병원 내 여러 과나 여러 병원 간 감염·중증·응급환자를 실시간으로 원격 모니터링하게 된다.

뮤럴은 환자의 임상데이터 실시간 업데이트 및 데이터 시각화를 통해 사전 예방 가능한 솔루션을 제공함으로써 의료진이 빠른 의사 결정을 할 수 있도록 돕는다. 뮤럴은 응급실, 중환자실, 격리병동 등 진료 공간뿐 만 아니라, 원격 환자 데이터 모니터링, 원격진단 영상 접근 등 원거리에서도 통합적인 임상데이터를 제공한다. 이러한 디지털 기술을 적용해 의료진이 충분한 환자 데이터를 기반으로 환자의 생명을 살리는 통찰력을 얻도록 돕는다.

또한, 임상 원격모니터링을 통하여 의료진이 코로나 19 환자 대상 프로토콜을 이용할 수 있고, 격리 음압실 출입 전 환자의 폐 손상 및 활력 징후를 파악하여 선제적으로 처치가 가능하다. 이러한 원격모니터링을 통하여 의료진의 부담을 줄이고, 코로나 바이러스 노출을 최소화할 수 있다.[39]

39) GE헬스케어, 원격모니터링의 근원적 대안 제시를 위해 '뮤럴', 통합 디지털 케어 솔루션 출시, GE코리아 뉴스룸, 2020.09.14

나. 국내 기업

1) 닥터히어

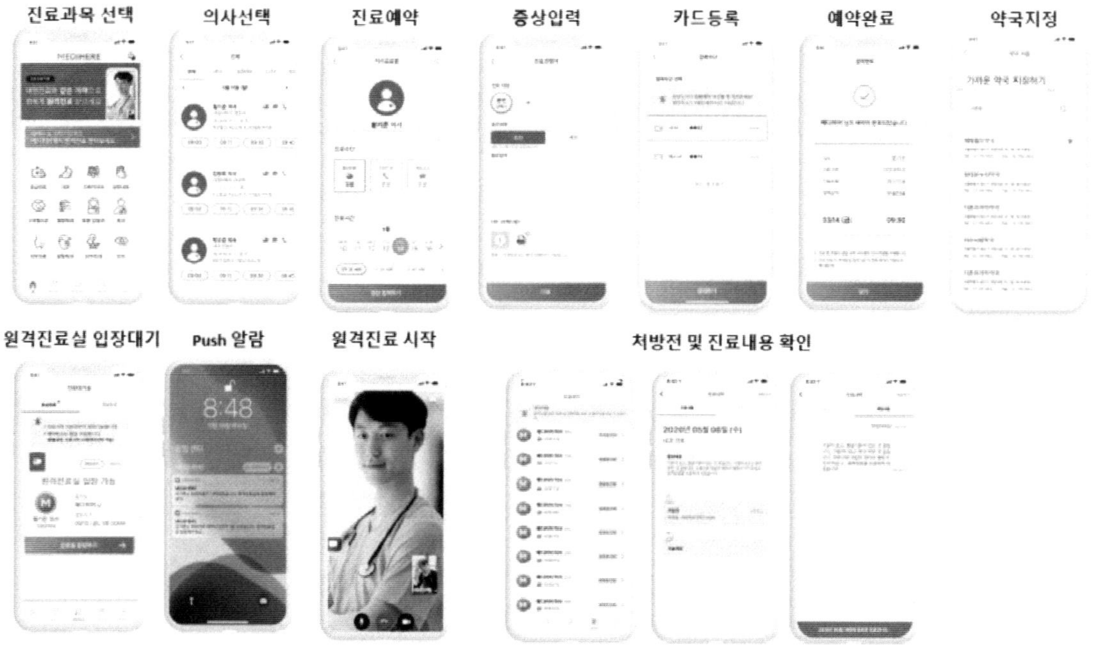

[그림 65] 메디히어

닥터히어는 원격진료 멤버십 서비스를 운영하는 기업인 메디히어가 리브랜딩한 기업으로, 언제 어디서든 모바일 애플리케이션을 통해 5분 내로 의사를 만날 수 있는 원격진료 멤버십 서비스를 제공한다. 환자들은 앱을 통해 응급의학과, 내과, 소아청소년과, 안과, 산부인과, 성형외과, 피부진료, 호흡기질환, 정신건강, 심리치료 등에 대해 의사와 원격 화상 진료, 전화 진료, 채팅 상담을 받을 수 있다.

현재 전 세계 150개 국가에서 이용 가능하며, 연회비 199달러를 지불하면 1년간 무제한으로 이용할 수 있다. 특히 미국 내 한인들이 겪고 있는 비싼 진료비, 긴 진료 예약과 대기 시간, 언어 장벽 등 근본적인 문제점을 해결해 해외에 거주하는 한인들에게 큰 인기를 끌고 있다.[40]

사용을 위해서는 메디히어앱을 다운받은 후 본인이 원하는 진료 분야에 의사의 원격진료 일정과 진료수단을 선택하고, 증상 및 첨부파일 입력 후 진료비 결제카드를 등록해 원격진료를 신청하면 된다. 신청이 완료되면, 진료에 필요한 추가 기본정보와 처방전을 Fax로 전송받을 약국 정보를 등록한다. 이후 원격 진료 예약 시간에 맞게 원격진료실로 입장해 의사에게 원격진료를 받는다. 의사들은 의사용 원격진료 Admin Website에 접속해 회원가입을 하고 병원정보, 진료비, 스케줄을 설정할 수 있다.[41] 하지만 최근, 닥터히어는 국내 서비스를 중단하고 해외 시장에만 집중하고 있는 모습을 보이고 있다.

40) 메디히어, 원격진료 멤버십 서비스 '닥터히어'로 리브랜딩, 라포르시안, 2021.06.16
41) 메디히어, 원격 화상진료앱 출시…의료기관에 무료 지원, 박기택, 청년의사, 2020.03.10

2) 인성정보

종합 IT 서비스 기업 인성정보는 IT인프라와 네트워크 장비를 서비스하는 업체다. 산업통상자원부 국책 과제에 선정돼 원격 임상시험 서비스를 개발한 이력이 있다. 인성정보 계열사 하이케어넷은 미국 원격의료 시장 진출을 위해 미국법인을 설립하고 남미, 유럽, 중동 등 글로벌 시장에 진출했다.42)

HicareNet

[그림 66] 하이케어넷

인성정보 계열사 스마트헬스케어 전문업체 하이케어넷이 미국 원격의료 시장에 대한 사업을 본격화하고 남미, 유럽, 중동 등 글로벌 시장 공략에 박차를 가한다. 하이케어넷은 미국 법인 설립을 완료하고 현지 파트너와 커뮤니케이션을 강화, 다양한 영업·마케팅 활동을 본격화할 예정이다. 미국 현지법인은 향후 캐나다, 남미에서 신규사업 및 고객 발굴을 위한 전초기지가 될 전망이다. 하이케어넷은 '퇴원 후 환자 관리 서비스'를 통한 유럽 진출도 가속화한다. 하이케어넷이 이탈리아 남부지역을 중심으로 제공한 '퇴원 후 환자 관리 서비스' 사용자가 증가하며 북부지역까지 서비스 범위가 빠르게 확대되고 있다.

하이케어넷은 "사우디아라비아, 아랍에미레이트 등 중동국가가 하이케어넷이 남미 지역에서 성공적으로 론칭한 '스마트 헬스케어 센터' 서비스에 주목, 도입을 논의 중"이라고 밝혔다. '스마트 헬스케어 센터'는 간호사 등만 상주하는 지역 보건지소에 방문하는 환자를 원거리의 전문 의료진과 연결하는 의료서비스 모델이다.43)

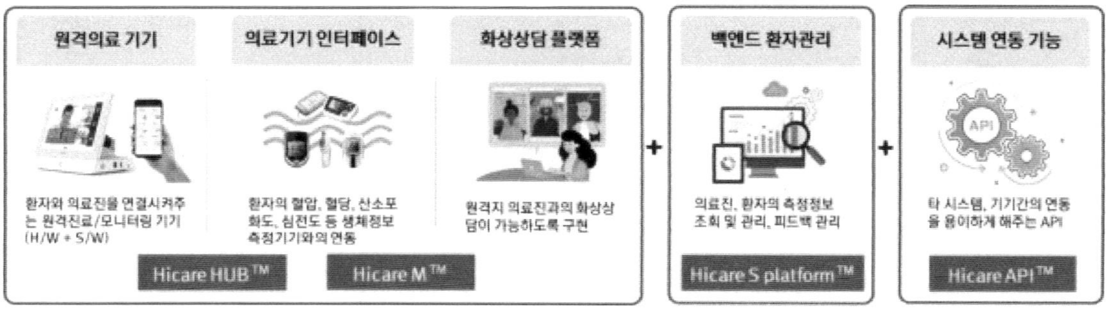

[그림 67] 하이케어넷 솔루션

42) [SEN]인성정보, 확진자 연일 30만명 돌파…尹 원격의료 정책 기대감↑, 서울경제, 2022.03.14
43) 하이케어넷, 미국 현지법인 설립...글로벌 원격의료 공략, 전자신문, 2022.02.22

최근, 하이케어넷은 미국 보훈부(VA: Department of Veterans Affairs)가 진행하는 퇴역군인 대상 원격 홈케어 2차 사업에 참여한다고 밝혔다. 원격 홈케어 서비스는 퇴역 군인들의 재택 건강관리를 목적으로 2017년부터 진행하고 있는 사업으로, 하이케어넷은 2017년 1차 사업에 선정돼 '하이케어 허브(Hicare Hub)'와 소프트웨어 등을 납품한 바 있다. 2차 사업은 1차보다 더 큰 규모로 퇴역 군인들을 위한 원격 모니터링 제품과 서비스들이 투입되며, 총 4개 회사가 사업자로 선정됐다. 하이케어넷은 그중 한 곳인 코그노산트(Cognosante)와 협력을 통해 사업에 참여한다.

하이케어넷은 이번 사업에서 '하이케어 허브' 제품을 소형화, 경량화하고 기능성을 높인 신제품을 선보일 수 있을 것으로 기대하고 있다. '하이케어 허브'는 스마트 태블릿과 유헬스 서비스가 연동되는 원격의료 기기로 사용자들은 이를 통해 혈압, 혈당, 체지방, 산소포화도 등 개인의 건강상태를 측정하고 의료진과 고해상도 화상 원격상담을 통해 직접 병원에 가지 않고도 집에서 건강상담을 받을 수 있다. 특히 LTE 및 와이파이가 되지 않는 오지에서도 유선전화망(PSTN) 방식으로 헬스케어 서비스를 제공할 수 있어 미국 내 네트워크 인프라가 부족한 지역에서도 서비스가 가능하다.[44]

44) 하이케어넷, 美 보훈부 원격 홈케어 2차 사업 참여, 데이터넷, 2023.05.09

3) 네이버

[그림 68] 네이버

국내 포털회사 네이버가 일본에 LINE의 자회사로 개설한 라인헬스케어가 일본의 대표적인 원격진료서비스로 각광을 받고 있다. 라인헬스케어는 네이버의 일본 의료 전문 자회사로, 일본 경제산업성의 지침에 따라 한 달 동안 일본인 전체를 대상으로 무료로 서비스를 제공했으며, 이후, 라인헬스케어가 이용자의 요금을 부담해 무상서비스로 제공 중이다. 해당 서비스는 후생노동성의 지침상 진찰이나 약 처방 등의 의료행위가 불가능한 원격의료인 '원격건강의료상담'에 해당된다.

2019년 12월부터 시작된 이 서비스는 일본국민 8,400만 명이 가입해 사용하고 있는 LINE애플리케이션 내에서 완결되는 서비스를 제공한다. 요금은 의사와 채팅으로 하는 경우 30분에 2,000엔(약 2만 원), 상담 내용을 메시지로 보내 24시간 이내에 답을 받는 경우는 1,000엔(약 만 원)이다.45)

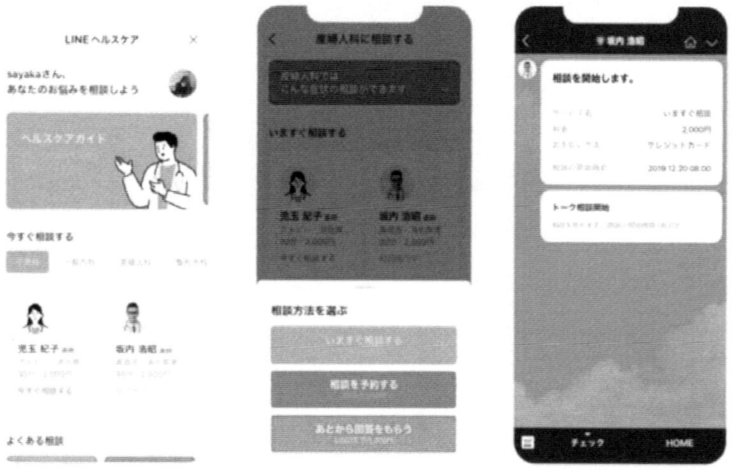

[그림 69] 라인헬스케어

최근 네이버는 원격의료 사업을 위한 밑그림 그리기에 나섰다. 2021년 11월 11일 '원격의료서비스용 소프트웨어'를 지정상품으로 포함한 상표를 출원한 것으로 파악됐는데, 해당 상표는 '네이버 케어'로 직원을 대상으로 원격의료 서비스를 제공하고 있는 아마존 케어를 차용한 것으로 분석된다. 네이버 케어에는 '데이터베이스에 저장된 의료·건강관리 데이터 및 정보 수집·구축·가공편집 및 분석업' 등 의료 분야를 광범위하게 포함한 지정상품이 포함됐다.

45) 네이버 라인헬스케어, 원격진료로 일본서 각광, 박차영, 아틀라스뉴스, 2020.05.16

네이버는 지난 2018년부터 운영하고 있는 사내 병원인 ‘네이버 홈닥터’를 제2 사옥 완공 시기에 맞춰 네이버 케어로 변경할 전망이다. 제2 사옥에는 약 200평 규모 사내병원이 들어선다. 사내병원은 향후 직원 복지뿐만 아니라 헬스케어 사업을 관장하는 거점이 될 전망이다. 실제 이를 위해 국내 로봇 수술 전문가로 꼽히는 나군호 세브란스병원 교수를 헬스케어연구소 소장으로 영입했다. [46]

46) 네이버, 원격의료 밑그림 착수…‘네이버 케어’ 상표 출원, 데일리메디, 2021.12.24

4) 솔닥[47)48)]

솔닥은 영상통화 방식으로 의사와 이용자 사이의 진료를 연계하는 방식의 서비스를 제공한다. 진료를 마친 뒤에는 지정 약국에서 복약지도 후 이용자의 주소로 처방 약을 배송하는 비대면 진료 서비스를 운영하고 있다. 현재 유아 피부건조증과 탈모 등에 특화된 진료를 제공하고 있다. 현재 솔닥 서비스 이용자의 70%는 2030세대다. 특히 탈모와 유아용 보습제 영역에 대한 고객 만족도가 높다.

[그림 70] 솔닥

환자가 의사를 선택할 수도 없고 광고도 수수료도 받지 않는 솔닥은 의료기관으로부터 소프트웨어 사용료를 받는다. 일반적으로 플랫폼에 병원이 입점해 고객들로부터 선택을 받는 방식에서 의료기관은 클릭을 유도하기 위한 광고비를 플랫폼에 지불한다.

최근 솔닥은 2023년 3월 기준 자사 솔루션을 사용중인 병·의원이 150곳을 넘어섰다고 발표했다. 또한, 제휴 대기 중인 의료기관들까지 솔루션이 보급된다면 솔닥 솔루션을 사용하는 병·의원은 500곳에 달할 것으로 전망된다.

솔닥은 국내 비대면 진료 플랫폼들 중 유일하게 자체 클라우드 서버를 기반으로 한 원격의료 전용 처방 솔루션을 개발해 운영하고 있으며, 기존 대면 진료 과정에서 구축한 전자의무기록(EMR)과 병행해서 사용할 수 있다는 강점을 가지고 있다. 솔닥은 병행을 넘어 기존 EMR과 곧바로 연동되는 솔루션의 개발도 진행하고 있다. [49)]

---

47) 원격진료 '솔닥', 11월 거래액 2억원 돌파, 서울경제, 2021.12.16
48) 테크 비대면진료 원격의료 솔닥 스타트업 창업, 블로터, 2021.10.12
49) 솔닥, 비대면 진료 솔루션 도입처 500개 확보, 이데일리, 2023.04.12

5) 닥터나우

닥터나우는 국내 최초 비대면 진료·처방 약 배송 서비스 앱이다. 현재 260여 곳의 병원과 제휴해 24시간 진료 서비스를 제공한다. 환자는 병원과 의사를 선택해 비대면 진료를 받을 수 있다. 의사가 처방한 약은 환자가 원하는 약국에서 직접 받거나 제휴 약국에서 집으로 배송받을 수 있다.

닥터나우가 본격적으로 서비스를 시작한 것은 2020년 11월이다. 애초에 국내에서는 비대면 진료나 의약품 배송이 허용되지 않았으나, 코로나 19 팬더믹으로 인해 보건복지부가 한시적으로 비대면 진료를 허용했다. 현재 닥터나우는 이용자 규모 기준으로 국내 민간 의료 앱 중 1위를 차지하고 있으며, 이러한 사업성을 인정받아 닥터나우는 최근 소프트뱅크벤처스를 비롯한 벤처캐피털(VC)로부터 100억 원 규모의 시리즈A 라운드 투자를 유치했다.

[그림 71] 닥터나우

하지만 한편에서는 닥터나우의 사업 지속 가능성에 대한 의문도 제기하고 있다. 이는, 비대면 진료와 의약품 배송이 '한시적 허용'이기 때문이다.[50] 하지만 최근 윤석열 대통령 당선으로 원격진료가 큰 화두로 떠오르면서 닥터나우의 존속도 이에 따라 달라질 것으로 전망된다.

50) "비대면 진료는 헬스테크 혁신의 핵심…의료계 '토스' 목표", 이코노미조선, 2021.11.29

8 결론

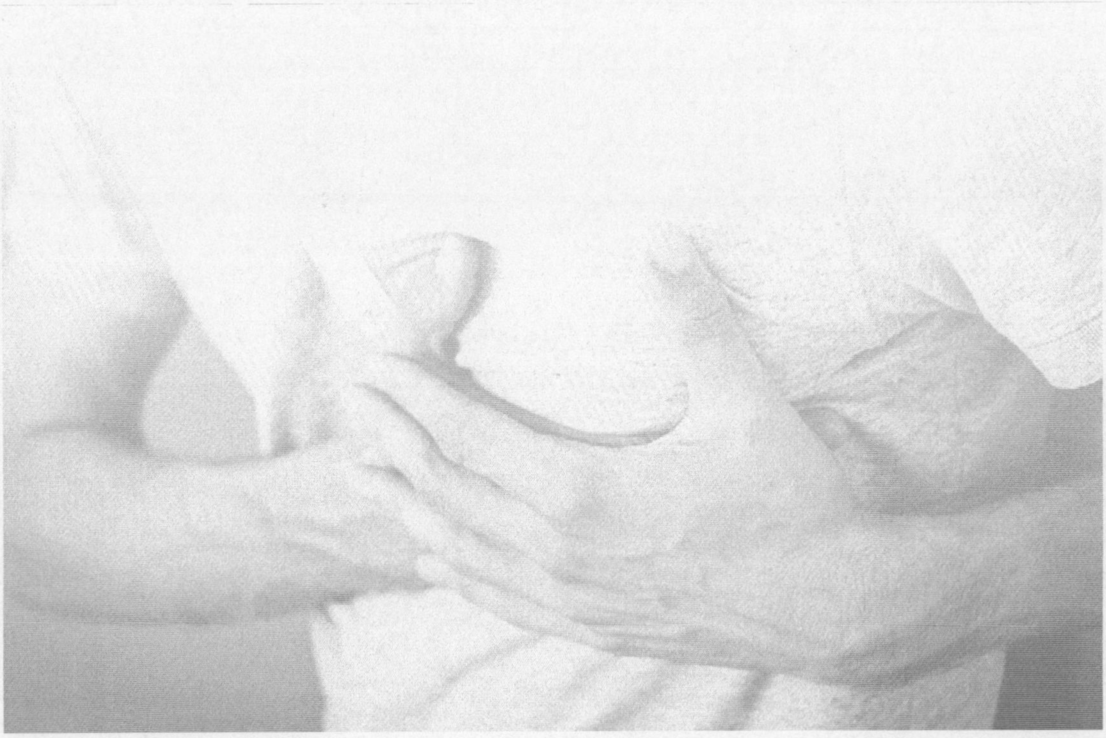

8. 결론[51)]

누구나 어렸을 적 꿈꿔왔던 미래의 모습 중 하나인 원격의료가 실현되고 있다. 특히 코로나 19로 인해 전 세계적으로 원격의료의 필요성이 다시금 대두되었고, 국내에서조차 한시적이지만 비대면 진료를 허가했다. 이러한 세계적인 추세에 힘입어 글로벌 원격의료 시장은 연평균 성장률 16.9%로 증가하여, 2025년에는 556억 1,000만 달러에 이를 것으로 전망되며, 국내 원격의료 시장은 연평균 약 16.13%의 성장률을 보이며 2026년 약 6.3조에 달할 것으로 전망되고 있다.

또한, 최근 20대, 30대들은 특히나 원격진료를 선호하고 있으며 이는 솔닥, 닥터나우 등 비대면 진료 어플리케이션의 성장으로 인해 증명되었다고도 할 수 있다. 그렇다면 원격진료는 왜 국내에서 빠르게 성장하지 못하고 있을까? 이를 위해서 우리는 원격진료가 성장하기 위해 한국 사회가 준비를 마쳤는지 살펴볼 필요가 있다.

우선, 국내 현행법상 원격의료 중 원격진료는 허용되지 않고 있다. 코로나 19로 인해 한정적으로 허용되고 있는 비대면 진료도 정확히는 원격진료가 아니다. 이처럼 국내에서 원격의료가 실현되기 위해서는 의학적 검증, 과학기술개발, 법·제도 개선과 사회적 합의가 모두 이루어져야 한다.

① 안전성 검증

원격의료의 안전성에 대한 검증이 선행되어야 할 것이다. 이는 환자의 안전성 확보와 의료의 질 제고가 의료 분야에서는 가장 중요한 요소이기 때문이다. 의료 분야에서는 새로운 의료기술이 도입되면 이를 검증하는 절차가 존재하는데, 원격의료 역시 안전성, 유효성 등에 대한 검증 및 임상시험 절차 등을 도입하여 안전성을 충분히 검증한 후 의료현장에 도입해야 한다. 현재 우리나라에서 실현되지 못하고 있는 원격진료는 현재 수행되고 있는 시범사업과 함께 필요한 임상시험을 수행하여 안전성과 유효성이 검증된 분야부터 의료현장에 도입하여야 한다.

② 가이드라인 및 교육 시스템 마련

현재 원격의료와 관련된 주요 이슈들은 정보통신기술과 산업의 발전, 그리고 편의성에 중점을 두어 논의되는 경향이 크다. 하지만, 의료를 수행하는 주체가 의료인이기 때문에 이를 고려하여 의료인의 역할에 대한 이해가 선행적으로 이루어져야 하며, 원격의료 관련 기술을 어떻게 적용할 수 있을지에 대한 논의와 공감대 형성이 필요하다. 그리고 이를 기반으로 원격의료 도입을 위한 구체적인 가이드라인 마련과 시행을 추진해야 한다. 또한, 의과대학 교육부터 단계적으로 원격의료 관련 ICT 기술 교육 등을 도입하고, 추후 새로운 기술 등이 도입될 경우 이에 대한 시의성 있는 교육이 이루어질 수 있는 체계가 필요하다.

③ 과학기술 개발

현재의 과학기술로는 원격의료의 적용은 제한적이며, 모든 환자와 모든 분야에서 원격의료를 실현할 수는 없다. 그러나 새로운 과학기술 개발과 융합으로 더욱 개선된 원격의료가 실현될

---

51) 원격의료 실현을 위한 국내 과학기술의 현황과 극복과제, 한국과학기술한림원, 2021.07

것이다. 특히 휴대용 의료기기의 다양화와 정밀화, 가상 및 증강현실을 사용한 비대면 진료, 개인 의료정보의 효율적 사용과 철저한 보호 기술 등의 개발은 원격의료의 효율성을 높이고 진료에 대한 만족도를 높일 것이다.

④ 법·제도 개선

우리나라는 현행법상 아직 원격의료 중 원격진료가 허용되지 않고 있다. 코로나 19로 인해 한정적으로 허용되고 있는 비대면 진료로 명명된 원격진료를 합법화하기 위해서는 관련 법 개정이 필요하다. 아울러 원격진료 관련 수가 정책, 환자 본인 확인, 의약품 비대면 구매, 진료 장면 녹화, 의료시설 기준의 완화, 의료인의 책임에 대한 특칙, 개인정보 보호와 관련된 법제도 또한 함께 개정되어야 한다. 정부 차원의 올바른 의료정책, 지불제도 정비, 원격의료 관련 기술의 표준화, 정보보안 강화, 법률 제정 등의 조치가 병행될 때 원격의료가 본격적으로 활성화될 수 있을 것이다.

⑤ 사회적 합의 형성

원격진료의 도입을 위해서는 관련 법·제도의 개선과 더불어 사회적인 합의를 이끌어내기 위한 적용 전략 모색 등의 접근 방법이 필요하다. 우선 희귀질환을 앓고 있는 환자, 또는 의료시설에 대한 접근성이 떨어지는 환자 등 원격진료에 대한 필요성이 높은 집단을 대상으로 원격진료를 순차적으로 허용함으로써 이의 효과와 필요성을 점진적으로 검토해 볼 수 있을 것이다.

9 참고문헌

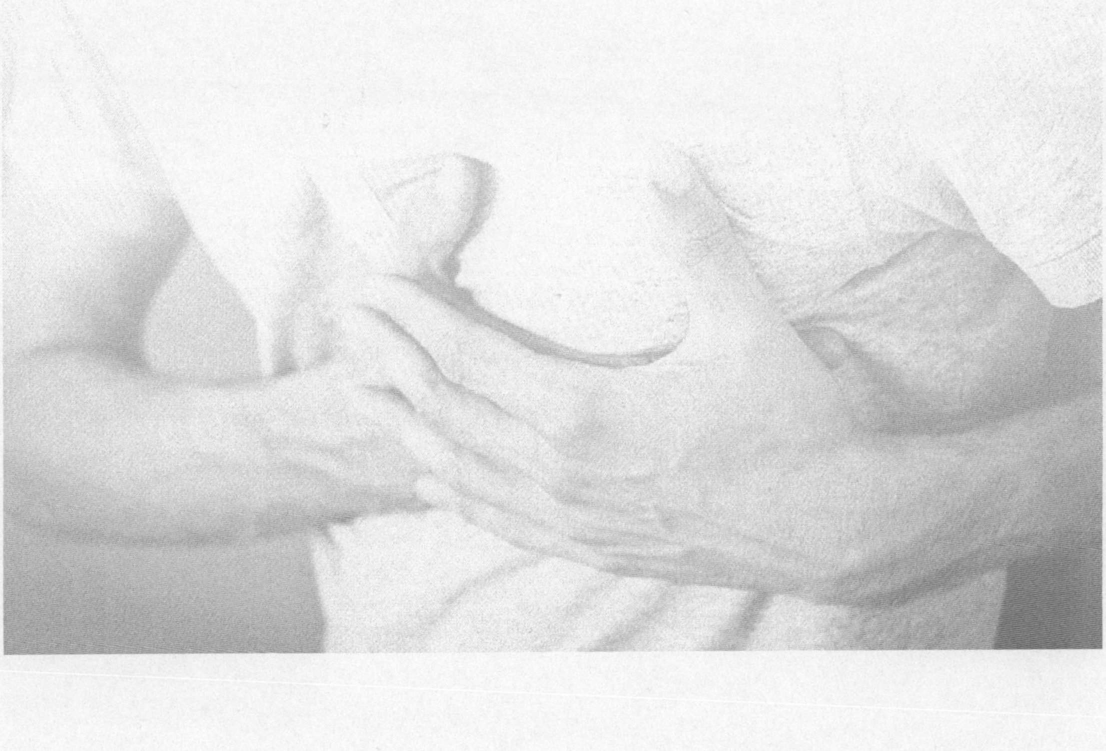

9. 참고문헌

[1] 비대면 시대, 비대면 의료 국내외 현황과 발전 방향, KISTEP Issue Paper, 2020
[2] 원격의료 정책 현황과 대응방안 연구, 의료정책연구소, 2022.04
[3] 글로벌 의료기기, 미래에셋대우, 2020.03.23.
[4] 코로나 19 사태로 본 미국, 일본, 프랑스의 원격진료, 국회도서관, 2020.04.14.
[5] 스웨덴 원격의료 도입의 현황과 시사점, 문성제, 2020
[6] 영국의 원격의료 활용 사례, 대한민국시도지사협의회, 2021.06.08.
[7] VI. 원격의료: 코로나 시대의 새로운 의료 트렌드, 대신증권
[8] 원격의료 시장, 연구개발특구진흥재단, 2020.12
[9] 원격 환자 모니터링 시장, 연구개발특구진흥재단, 2021.03
[10] 비대면 시대, 비대면 의료 국내외 현황과 발전방향, KISTEP Issue Paper, 2020
[11] Teladoc Health, 삼성증권, 2020.05.08.
[12] 미국 원격진료 서비스 시장동향, 대한무역투자진흥공사, 2020.03.26.
[13] - 글로벌 DNA동향 : 디지털 헬스케어 -, ICT Brief, 2020.06.26.
[14] 헬스케어 서비타이제이션(Servitization) 기술 및 시장동향, KEIT PD ISSUE Report, 2021
[15] 디지털 헬스 산업 분석 및 전망 연구, 한국보건산업진흥원, 2020
[16] 5G 상용화를 통한 디지털 헬스케어의 혁신, ICT산업 동향, 2019.05.09.
[17] 헬스케어 산업에서 클라우드 컴퓨팅의 활용, 한국바이오협회, 2020.05
[18] 원격의료 실현을 위한 국내 과학기술의 현황과 극복과제, 한국과학기술한림원, 2021.07
[19] 데이터 3법 통과: 의료 데이터, 개방을 넘어 활용으로, 삼정KPMG경제연구원, 2020.03

10 부록

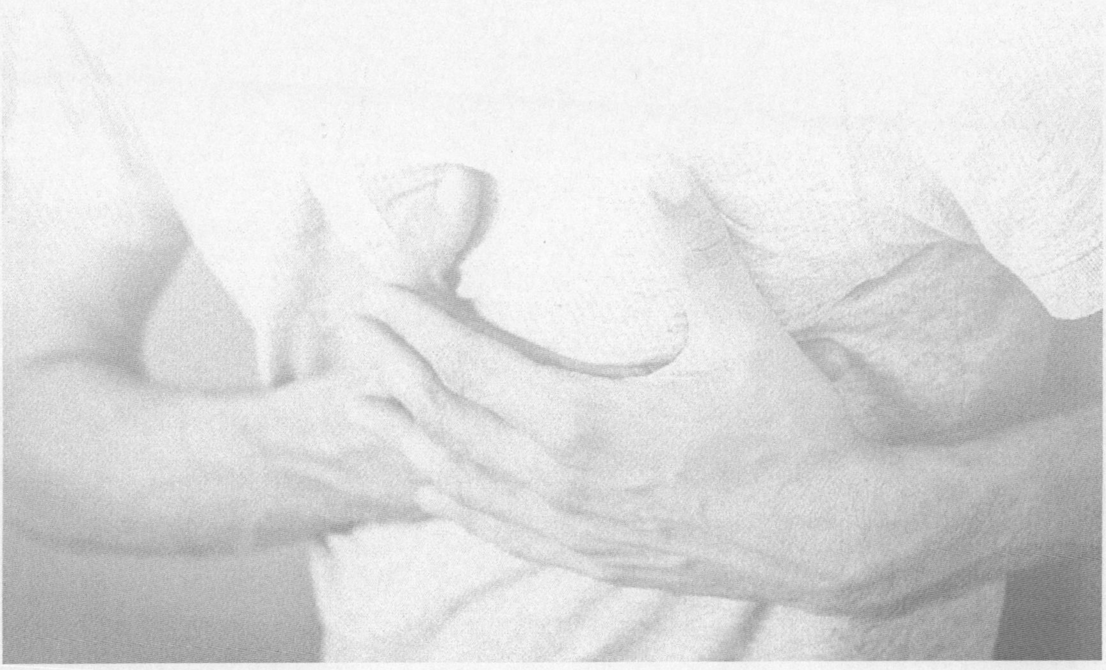

10. 부록

가. 데이터 3법[52)]

2020년 1월 9일, 오랜 기간 국회에 계류 중이었던 데이터 3법이 통과되게 되었다. 데이터 3법의 개정은 개인 정보 보호법과 신용 정보의 이용 및 보호에 관한 법률(신용정보법), 정보통신망 이용 촉진 및 정보 보호에 관한 법률(정보통신망법) 3가지 법률을 통칭한다.

이번 데이터 3법의 통과로 1)데이터 이용 활성화를 위한 가명정보 개념 도입되었으며, 2) 관련 법률의 유사·중복 규정을 정비하고 추진체계를 일원화 하는 등 개인정보 보호 협치(거버넌스) 체계가 효율화될 것으로 기대되며 3) 데이터 활용에 따른 개인정보 처리자의 책임 강화-모호한 '개인정보' 판단 기준의 명확화를 이끌어 낼 수 있을 것으로 기대된다.

이번 데이터 3법 통과로 인해 기업들의 데이터 이용의 장벽을 낮췄다는 점에 큰 의미가 있다. 향후 정책이 시행되면 AI, 빅데이터를 활용한 디지털 헬스케어 혁신의 전환점이 될 것으로 전망된다. 특히 개인은 사전 예방적인 맞춤형 개인화된 서비스를 받을 수 있고, 사회적으로 예방적 진료가 사회적 비용 절감에 효과를 보일 것으로 기대된다.

하지만 여전히 데이터 3법이 의료산업에 부흥을 이끌기 위해서는 넘어야 할 산들이 남아있다. 먼저 의료산업과 관련한 구체적인 세부 법안들이 규정되지 않았다는 점이다. 통과된 데이터 법에 따르면 가명화된 개인정보를 통계작성, 연구 목적, 공익적 기록보전 용도 등으로만 활용할 수 있다고 명시되어 있다.

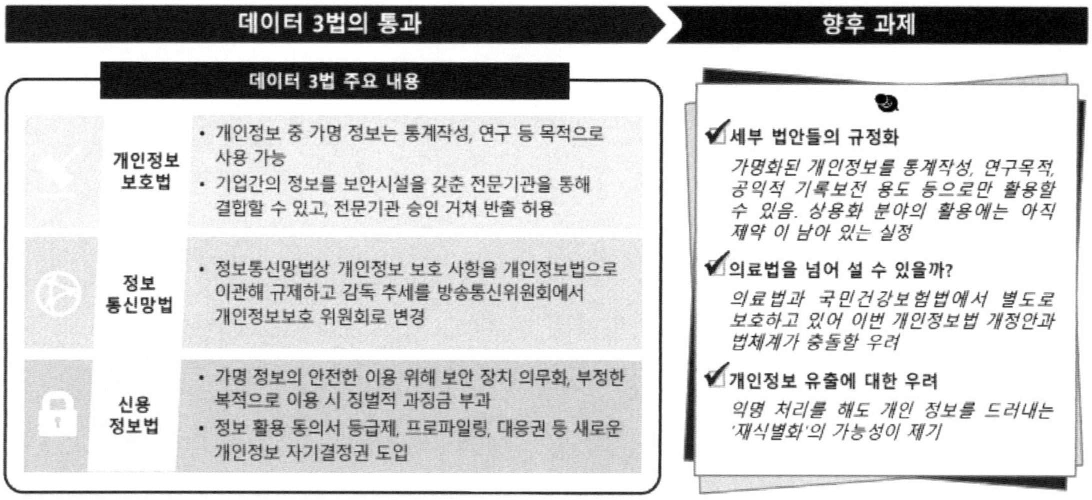

[그림 75] 데이터 3법 주요 내용 및 향후 과제

52) 데이터 3법 통과: 의료 데이터, 개방을 넘어 활용으로, 삼정KPMG경제연구원, 2020.03

현재 상황으로는 의료 R&D에서만 가명화된 개인정보를 활용할 수 있을 뿐 실제 상용화 분야의 활용에는 아직 제약이 남아 있는 셈이다. 이번 개인정보 보호법 개정을 통해 개인정보에 대한 개념을 명확히 했고, 개인정보, 가명정보, 익명정보의 개념을 정립했다는 부분은 큰 발전이다. 하지만 환자의 보건의료정보는 민감정보에 해당되는 상황에서 별도의 지침은 없어, 향후 개인정보보호법이 어떻게 보완될지 지켜봐야 한다.

또한 데이터 3법이 유연하게 적용되기 위해서는 의료법과 국민건강보험법이라는 두 개의 산을 더 넘어야 한다. 현재 의료법과 국민건강보험법에서 의료데이터에 대해 별도로 관리되고 있어, 이번 개인정보법 개정안과 충돌할 우려가 제기되고 있다. 이에 대해 2020년 1월, 행정안전부는 의료정보의 산업목적 활용을 제한하지는 않겠지만 의료 산업의 특수성을 감안하여, 데이터 3법 개정안이 시행 후에도 의료법을 통해 별도의 안전장치를 마련하겠다는 방침을 공개했다.

마지막으로 개인정보 유출에 대한 우려도 여전히 남아있다. 개인정보는 익명 처리한다 해도 재식별화를 통해 성병·정신병·유전병 등 개인이 숨기고자 하는 의료 정보가 공개될 수 있기 때문이다. 이와 같은 문제에 대해서도 해결 방안이 시급한 시점이다.

구분	개념	활용가능 범위	문제점
개인정보	특정 개인에 관한 정보로서 개인을 알아볼 수 있게 하는 정보	사전에 구체적인 동의를 받은 범위 내에서 활용 가능	-
가명정보	추가정보의 사용 없이는 특정 개인을 알아볼 수 없게 조치한 정보	통계작성, 연구, 공익적 기록보존 목적 등은 동의 없이 활용 가능	'추가정보의 사용 없이'이란 전제는 추상적 개념으로 현실세계에서는 개인정보와 같음
익명정보	더 이상 개인을 알아볼 수 없게 (복원 불가능할 정도로) 조치한 정보	개인정보가 아니기 대문에 제한 없이 자유롭게 활용	익명정부는 수집단계에서 익명성이 보장되는 정보이며, 해당정보는 익명화 정보가 올바른 개념

[표 40] 개인정보, 가명정보, 익명정보의 개념 및 예시

초판 1쇄 인쇄 2020년 10월 05일
초판 1쇄 발행 2020년 10월 19일
개정판 발행 2022년 5월 23일
개정2판 발행 2023년 6월 19일

편저 비피기술거래 비피제이기술거래
펴낸곳 비티타임즈
발행자번호 959406
주소 전북 전주시 서신동 780-2 3층
대표전화 063 277 3557
팩스 063 277 3558
이메일 bpj3558@naver.com
ISBN 979-11-6345-452-6(93510)

이 도서의 국립중앙도서관 출판예정도서목록(CIP)은 서지정보유통지원시스템홈페이지(http://seoji.nl.go.kr)와국가자료공동목록시스템 (http://www.nl.go.kr/kolisnet)에서 이용하실 수 있습니다.